교과서 진도에 맞춘 연산 프로그램

# 연산마스터
## 계산력 강화

1. 흥미 유발과 집중도 UP
2. 원리 이해력 및 계산능력 강화
3. 관계 구조화를 통한 사고력 확장

초등 6·1 11권

# 계산력 한눈에 보기

# 수학을 잘 하려면, 어떻게 공부해야 할까요?

## 1. 수학은 지겨워하지 않고 흥미를 가지면서 공부해야 합니다.

OECD 국가 중에 우리나라 학생들의 수학 실력은 상위 수준이지만 수학에 대한 흥미도는 하위 수준이라는 조사 결과가 말하듯이 많은 학생들이 학년이 올라가면서 점점 더 수학에 흥미를 잃고 있습니다.

특히나 초등학생들이 직면하는 연산은 기초 원리를 이해하면서 호기심과 흥미를 느껴야 하는 과목임에도 불구하고, 반복적 학습을 통한 훈련만이 정답인 것처럼 생각하는 기성세대들의 고정관념을 강요당하여, 같은 방식의 문제를 더 많이 더 빨리 반복 풀이하는 훈련을 지나칠 정도로 시키게 됩니다. 이런 방식은 아이들 입장에서는 피하고 싶은 고문과도 같아서 수학에 점차 흥미를 잃고 지겨워하게 하는 이유가 됩니다.

수학은 암기과목이 아닙니다. 아이들은 이미 우리 생각보다 많은 수학적 호기심과 이해력을 가지고 있습니다. 이런 아이들에게 공식이나 절차와 함께, 자연스럽게 원리를 이해하게 하고, 흥미를 가지고 접근하도록 유도하는 것이 무엇보다 중요합니다.

## 2. 집중과 몰입의 공부 방법이 중요합니다.

우리나라 초등 교과서는 선진국 중에서도 상위 수준입니다. 그런데 우리 아이들의 연산 교재는 10년 전이나 지금이나 한결같은 반복 훈련으로 더 빨리 더 많이 푸는 기계식 학습에서 머물러 있는 실정입니다.

매일 규칙적으로 적정 분량을 학습하는 훈련을 통하여 집중력을 키우고, 문제풀이 과정을 통해 자연스럽게 연산 방식이 어떤 원리와 규칙성이 있으며, 실생활에는 어떻게 적용되는지를 알게 하여 아이들의 호기심을 자극하여 학습의 흥미와 함께 몰입도를 높여야 합니다.

## 3. 원리를 알고 기본기를 튼튼히 해야 합니다.

　수학은 모든 단원들이 별개가 아니고 유기적인 관계로 연결되어있습니다. 그런데 공식과 절차만을 암기하여, 서로 연결된 개념과 원리의 관계 구조를 이해하지 못한다면 더이상 사고를 확장 시키지 못하게 되고 흥미도 잃게 되어 실력도 급격히 저하되게 됩니다.

　연산 법칙은 물론, 개념의 관계 구조를 알게 하여 복잡해 보이는 문제라 할지라도 원리를 이용해 단순하게 구조 화시켜서 풀이할 수 있는 능력을 길러줘야 합니다.

## 4. 문제를 단순화 구조화 할 수 있어야 합니다.

　구조화만 시키면 모든 문제는 쉽고 단순하게 풀립니다.

　문장제도 연산의 응용일 따름입니다. 연산을 배우는 것은 실생활에 적용하기 위함인데, 식으로 된 계산은 잘 풀 면서 실생활 관련 문장제만 나오면 겁을 집어먹는 이유는 도구적 이해에 갇혀서 더 이상 사고가 확장 되지 않기 때 문입니다. 복잡하고 어려운 문제도 구조화 시켜 놓으면 그냥 계산식일 뿐인데 말이죠. 원리를 알고 구조화 시키는 훈련을 조금만 하면 모든 문제가 간단히 풀립니다.

## 5. 실수를 줄여나가야 합니다.

　반복적인 문제 풀이만 하다 보면 수학적 개념과 원리를 소홀히 하게 되고 암기식으로 치우쳐, 응용력과 분석 및 적용력이 떨어지게 됩니다. 이런 아이들은 조금만 문제가 달라져도 틀리게 됩니다. 그리고 심지어 같은 유형 마져 도 빨리 풀려고 손으로 써가며 푸는 대신 눈으로 읽으며 풀어서 실수할 수 있습니다.

　실수를 줄이기 위해서는 반복적인 연습 보다는 오히려 쉬운 문제라 할지라도 원리와 풀이 과정에 입각해서 직접 손으로 써보면서 정확하게 푸는 습관이 필요합니다.

**연산마스터**
**이런 점이**
**달라요.**

## 1. 원리를 쉽게 이해하게 됩니다.

원리를 이해하면 계산 방법을 재구성할 수 있으며, 단순 계산력 훈련을 하더라도 지식의 체계화 과정에서 지적 자극을 통한 사고 과정을 확장할 수 있습니다.

본 책은 풀이 과정을 따라가면서 설명한 내용을 읽고, 제시된 이미지를 통해서 입체적으로 개념을 정리하도록 했습니다.

## 2.계산력을 강화합니다.

수학의 기본은 연산이고 연산은 속도와 정확성이 관건입니다. 틀리지 않고 정확하게 푸는데 집중하면서 점차 빨리 푸는 훈련을 해나가는 과정에서 실수하지 않도록 집중해서 훈련을 하다보면 적당한 긴장과 성취감을 느끼게 됨으로써 흥미를 잃지 않고 공부할 수 있습니다.

본 책은 두 가지 이상의 계산 방식으로 유형의 변화를 주어 지루하지 않도록 배려했으며 충분한 문제를 풀면서 계산능력이 체계적으로 올라가도록 구성하였습니다.

## 3. 사고력을 확장합니다.

그림 언어인 그래픽 구성을 채워나가면서, 단순 계산에서 오는 지루함을 벗어나 새롭게 흥미를 느끼게 되고 계산 방식을 체계화하게 되며, 자연스럽게 지적 자극을 주어 생각의 폭이 확장 되도록 하였습니다.

이 때 대부분의 책에서처럼 기계식으로 빈칸을 채워 넣기만 하면 의미가 없고, 서술형 문제를 단순화 시켜서 계산식을 세우는 과정과 연결하여 학습하는 것이 중요합니다.

## 4. 구조화하기를 통한 관계적 학습을 돕습니다.

연산은 잘하는데 단순한 문장제만 나와도 손도 못 대는 아이들이 허다합니다.

그러나 연산을 글로 설명한 것이 문장제이며, 실제 생활 관련한 서술형 문제들이 사고력 창의력 관련 문제들인데, 이런 문제들을 아이들은 많이 어려워합니다. 그런데 실상은 어렵고 복잡해 보이는 문제도 구조화해놓고 보면 쉽고 단순하게 풀립니다.

그런데, 대부분의 연산 교재들이 기계적으로 빨리 푸는 훈련에 치중하기 때문에 아이들의 수학적 사고력을 닫히게 하고, 흥미까지 잃게 합니다. 수학은 개념들이 서로 연결되어 있어서 개념 사이의 관계를 구조화시켜 이해하면 흥미를 느낌은 물론, 다음 표에서 보듯 기억률도 현저히 높아집니다.

## 〈관계적 학습과 도구적 학습의 기억률 차이〉

| 구분 | 직후 | 하루 후 | 4주 후 |
|------|------|---------|--------|
| 관계적 학습 | 69% | 69% | 58% |
| 도구적 학습 | 32% | 23% | 8% |

본 책은 아래와 같이 구조화하기를 통하여 문제를 단순화 시켜서, 쉽고 재미있게 학습면서 아이들의 사고력과 창의력 확장에 도움을 주도록 구성했습니다.

### 1. 변화형 구조와 그룹형 구조

사과 3개를 먹고 남은 것이 7개입니다. 처음 몇 개를 가지고 있었나요?

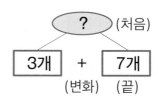

### 2. 비교형 구조

철이는 구슬을 300개를 가지고 있고 도희는 철이 보다 구슬을 50개를 더 가지고 있습니다.
도희는 몇 개를 가지고 있나요?

### 3. 동등한 그룹형 구조

자전거는 걷는 것보다 2배가 빠릅니다. 자전거로 500미터를 가는 동안 걸어서는 얼마를 갈 수 있을까요?

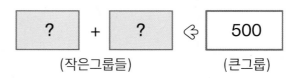

### 4. 곱셈 비교형 구조

한반에 30명인 여학생 3반과 한반에 25명인 남학생 몇 반이 있습니다. 모두 합한 학생 수가 140명이라면 남학생은 몇 반입니까?

| 140 (큰것) | |
|------------|--|
| 30×3=90 (여학생) | 25× ? =50 (남학생) |

(작은것)

# 이 책의 구성과 특징

## 초등연마 계산력의 특장점

### 1. 계산력을 키우기 위한 알찬 개념

최대한 쉽게 개념을 설명하고, 개념 설명에 알맞은 예제를 사용하여 충분히 이해할 수 있게 구성하였습니다.

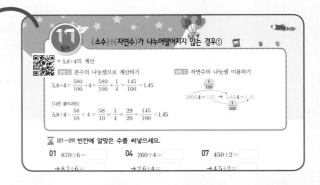

### 2. 공부한 개념을 바탕으로 문제풀이

계산력 문제를 아무 생각 없이 풀기보단 개념과 연결된 문제를 풀기 때문에 계산 실력을 차곡차곡 쌓을 수 있습니다.

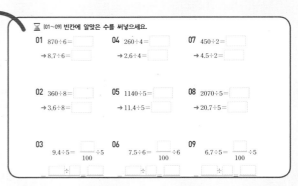

### 3. 구조화하기

간단한 구조를 계산 문제에 적용하여, 단순 계산 문제 풀이를 학습하는 동안 그 구조를 익혀 서술형에 대비할 수 있게 돕습니다.

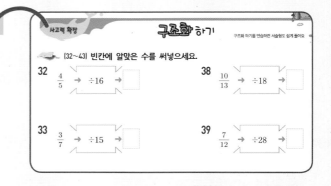

### 4. 서술형 풀어보기

앞에서 공부한 구조화하기를 서술형에 적용해 봅니다. 식만 주르륵 나와 있을 때는 어렵지 않게 답을 척척 쓰다가, 글자만 많아지면 머리 아파하는 경우가 많은데, 서술형을 구조화시킴으로 단순계산 문제를 풀듯 쉽게 서술형을 해결할 수 있습니다.

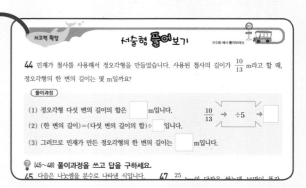

# 초등연마 계산력의 구조 한눈에 보기

 개념 이해

 문제 풀이

 구조화하기

 서술형 풀어보기

개념 없이 문제 풀다가는 조금만 응용이 들어가도 못 풀어요!

개념과 연관된 문제 풀이를 통해 앞에서 배운 개념을 더 확실히 익혀요!

구조화하기를 통해 서술형까지 정복할 수 있어요!

앞서 배운 구조화하기를 통해 서술형도 단순 계산으로 변신시켜요!

## 이렇게 활용해 보세요!

### 1. 동영상을 활용해 보세요.

○ 개념을 더 쉽게 이해하도록 개념 설명 동영상이 있습니다. 개념 창 옆의 큐알코드를 활용하시면 동영상을 보실 수 있습니다. (큐알코드 어플리케이션을 핸드폰에 다운로드 한 뒤, 큐알코드를 스캔해 주세요.)

### 2. 연마 Check 활용

○ 문제풀이를 마친 뒤, 연마 Check 활용에 맞힌 개수와 푼 시간 등을 적어두면 한 눈에 본인 실력을 확인할 수 있습니다.

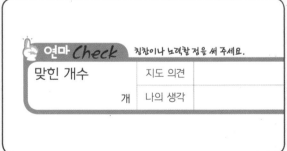

### 3. 선생님/부모님 가이드 활용

○ 선생님/부모님 체크 리스트를 통해 꼭 알아야 할 내용을 파악하고, 문제 풀이 시간을 기입해, 표를 통한 분석으로 아이의 공부 방향을 조정할 수 있습니다.

○ 답지를 본문 축소하여서 아이가 어느 부분의 어떤 문제를 틀리는지 바로 확인 가능하도록 답과 문제집을 따로 확인하지 않아도 되게 구성했습니다.

## 6학년 1학기

- 이 책의 표준 학습일은 32일입니다. 표준 계획을 참고하여 공부하세요.
- 계획대로 공부한 날은 ✓ 체크를 하고, 공부하지 않은 날에는 ○ 그대로 두세요.

차례

## (자연수)÷(자연수) ①

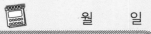

월    일

- 2÷5의 몫을 분수로 나타내기

$$2 \div 5 = \frac{2}{5} \left( 2 \div 5 = 2 \times \frac{1}{5} = \frac{2}{5} \right)$$

→ 나뉠 수를 분자로, 나누는 수를 분모로 보내세요.

$$\bigstar \div \bullet = \frac{\bigstar}{\bullet}$$

### 핵심 포인트

- 2÷5의 몫을 분수로 나타내기

① 2÷5의 몫을 분수의 곱셈으로 나타내면, $2 \times \frac{1}{5}$ 로 나타낼 수 있습니다.

② 2÷5는 2를 똑같이 5로 나눈 것 중의 하나입니다.

| | | 2 | | |
|---|---|---|---|---|
| $\frac{2}{5}$ | $\frac{2}{5}$ | $\frac{2}{5}$ | $\frac{2}{5}$ | $\frac{2}{5}$ |

③ $2 \div 5 = 2 \times \frac{1}{5} = \frac{2}{5}$

**(01~06) 빈칸에 알맞은 수를 써넣으세요.**

**01**

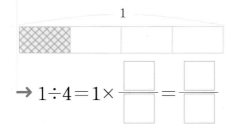

$$\rightarrow 1 \div 4 = 1 \times \frac{\square}{\square} = \frac{\square}{\square}$$

**02**

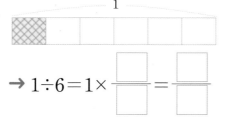

$$\rightarrow 1 \div 6 = 1 \times \frac{\square}{\square} = \frac{\square}{\square}$$

**03**

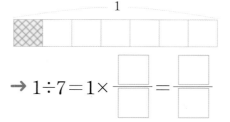

$$\rightarrow 1 \div 7 = 1 \times \frac{\square}{\square} = \frac{\square}{\square}$$

**04**

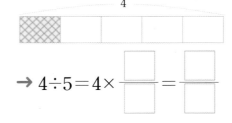

$$\rightarrow 4 \div 5 = 4 \times \frac{\square}{\square} = \frac{\square}{\square}$$

**05**

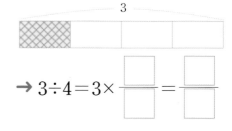

$$\rightarrow 3 \div 4 = 3 \times \frac{\square}{\square} = \frac{\square}{\square}$$

**06**

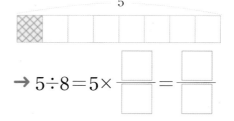

$$\rightarrow 5 \div 8 = 5 \times \frac{\square}{\square} = \frac{\square}{\square}$$

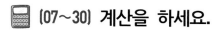 (07~30) 계산을 하세요.

**07** $1 \div 2$

**08** $3 \div 7$

**09** $2 \div 3$

**10** $5 \div 6$

**11** $2 \div 7$

**12** $5 \div 8$

**13** $4 \div 7$

**14** $3 \div 10$

**15** $2 \div 9$

**16** $4 \div 11$

**17** $7 \div 10$

**18** $9 \div 11$

**19** $10 \div 11$

**20** $13 \div 20$

**21** $11 \div 16$

**22** $12 \div 17$

**23** $4 \div 13$

**24** $15 \div 19$

**25** $13 \div 17$

**26** $16 \div 19$

**27** $17 \div 20$

**28** $15 \div 21$

**29** $17 \div 23$

**30** $21 \div 29$

구조화 하기

구조화 하기를 연습하면 서술형도 쉽게 풀어요

**(31~38) 빈칸에 알맞은 수를 써넣으세요.**

**31**

| ÷ | | |
|---|---|---|
| 2 | 5 | |
| 7 | 9 | |
| | | |

**35**

| ÷ | | |
|---|---|---|
| 5 | 13 | |
| 12 | 19 | |
| | | |

**32**

| ÷ | | |
|---|---|---|
| 3 | 8 | |
| 11 | 17 | |
| | | |

**36**

| ÷ | | |
|---|---|---|
| 11 | 12 | |
| 15 | 31 | |
| | | |

**33**

| ÷ | | |
|---|---|---|
| 1 | 6 | |
| 5 | 13 | |
| | | |

**37**

| ÷ | | |
|---|---|---|
| 7 | 9 | |
| 15 | 41 | |
| | | |

**34**

| ÷ | | |
|---|---|---|
| 2 | 7 | |
| 11 | 23 | |
| | | |

**38**

| ÷ | | |
|---|---|---|
| 16 | 25 | |
| 31 | 34 | |
| | | |

**39** 민재의 카드에는 $<5÷8>$이라고 쓰여 있고, 도희의 카드에는 $<7÷10>$이라고 쓰여 있습니다. 누구의 카드에 쓰인 몫이 더 큰 것일까요?

풀이과정

(1) $5÷8$은 $\dfrac{\square}{\square}$입니다.

(2) $7÷10$은 $\dfrac{\square}{\square}$입니다.

(3) 그러므로 $\boxed{\phantom{00}}$의 카드의 몫이 더 큽니다.

· 8과 10의 최소공배수는 $\boxed{\phantom{00}}$입니다.

· $\dfrac{5}{8} = \dfrac{\square}{40}$ , $\dfrac{7}{10} = \dfrac{\square}{40}$

💡 (40~43) 풀이과정을 쓰고 답을 구하세요.

**40** 6 L의 딸기 주스를 크기가 같은 병 11개에 똑같이 나누어 담는다면, 한 병에 몇 L의 딸기 주스를 담을 수 있을까요?

풀이

답 _____ L

**42** 8 L의 물을 $\dfrac{1}{7}$ L씩 컵에 담아 모두 덜어내면 몇 번에 덜어낼 수 있을까요?

풀이

답 _____ 번

**41** 길이가 13 m인 리본이 있습니다. 이 리본을 15명에게 똑같이 나누어 주려고 한다면, 한 명에게 몇 m를 줄 수 있을까요?

풀이

답 _____ m

**43** 3 km의 실을 17명의 사람이 똑같이 나눠 가지려고 합니다. 한 사람이 몇 m의 실을 가지게 될까요? (답은 가분수로 씁니다.)

풀이

답 _____ m

☝ 연마 Check    칭찬이나 노력할 점을 써 주세요.

| 맞힌 개수 | 지도 의견 | | 확인란 |
|---|---|---|---|
| 개 | 나의 생각 | | |

# 02 일차

## (자연수)÷(자연수) ②

월    일

● 5÷4의 계산

$$5 \div 4 = \frac{5}{4} \left(= 1\frac{1}{4}\right) \qquad ★ \div ● = \frac{★}{●}$$

└─ 가분수를 대분수로 고친 것입니다.

자연수의 나눗셈을 분수로 나타내는 방법은 몫이 1보다 작은 경우와 다른 점이 없습니다. 몫이 1보다 크므로 계산 결과의 가분수를 대분수로 고치는 연습을 합니다.

### 핵심 포인트

· (나뉠 수)÷(나누는 수)

$$= \frac{(나뉠 수)}{(나누는 수)}$$

· (자연수)÷(자연수)를 했는데 몫이 1 보다 큰 경우는

(나뉠 수) > (나누는 수)

입니다.

---

⏳ **(01~18) 나눗셈의 몫을 분수로 나타내세요.**

**01** 3÷2

**02** 4÷3

**03** 5÷2

**04** 6÷5

**05** 7÷3

**06** 8÷7

**07** 9÷2

**08** 10÷3

**09** 8÷5

**10** 7÷2

**11** 10÷7

**12** 9÷5

**13** 11÷6

**14** 12÷5

**15** 11÷9

**16** 13÷12

**17** 12÷7

**18** 14÷11

계산력 강화하기

정확하게 풀어보아요

(19~42) 나눗셈의 몫을 대분수로 나타내세요.

**19** 7÷4

**20** 9÷5

**21** 11÷3

**22** 13÷2

**23** 5÷3

**24** 8÷7

**25** 16÷9

**26** 14÷9

**27** 13÷4

**28** 16÷11

**29** 6÷5

**30** 10÷3

**31** 15÷13

**32** 27÷16

**33** 17÷8

**34** 12÷11

**35** 16÷15

**36** 23÷14

**37** 27÷19

**38** 35÷16

**39** 31÷19

**40** 25÷7

**41** 34÷27

**42** 54÷5

# 구조화 하기

구조화 하기를 연습하면 서술형도 쉽게 풀어요

📖 (43~54) 두 수의 나눗셈을 빈칸에 써넣으세요.

**43** 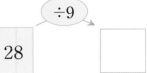 ÷9

28 □

**49** ÷4

15 □

**44** ÷2

13 □

**50** ÷22

23 □

**45** ÷9

25 □

**51** ÷15

17 □

**46** ÷3

10 □

**52** ÷19

25 □

**47** ÷15

19 □

**53** ÷10

33 □

**48** ÷3

26 □

**54** ÷28

31 □

# 서술형 풀어보기

**55** 현서는 농장에서 사과를 87 kg 땄습니다. 현서는 이 사과를 50명의 사람에게 똑같이 나눠주려고 합니다. 한 사람에게 몇 kg의 사과를 줄 수 있을까요? (계산 결과는 대분수로 나타냅니다.)

**풀이과정**

(1) 사과의 전체 무게는 ☐ kg입니다.

(2) 50명의 사람에게 똑같이 나눠줄 것이므로 이것을 식으로 나타내면, ☐ ÷ ☐ 입니다.

(3) 그러므로 한 사람에게 ☐ kg의 사과를 줄 수 있습니다.

$\div 50$

87 → ☐

**(56~59) 풀이과정을 쓰고 답을 구하세요. (계산 결과는 대분수로 나타냅니다.)**

**56** 94 cm인 갈치를 같은 길이로 7토막 내었습니다. 한 토막의 길이는 몇 cm일까요?

풀이 _____

답 _____ cm

**58** 19 kg의 빵 반죽으로 똑같은 무게의 반죽을 사용해 14개의 빵을 만들 때, 반죽 한 덩이의 무게는 몇 kg이 될까요?

풀이 _____

답 _____ kg

**57** 38 L의 우유를 13개의 병에 똑같이 나누어 담으려고 합니다. 한 병에 몇 L의 우유를 담을 수 있을까요?

풀이 _____

답 _____ L

**59** 머리핀 공장에서 57개의 머리핀을 만드는데 사용되는 리본이 413 m라고 합니다. 머리핀 하나를 만드는데 사용되는 리본은 몇 m일까요?

풀이 _____

답 _____ m

**연마 Check** 칭찬이나 노력할 점을 써 주세요.

| 맞힌 개수 | 지도 의견 | | 확인란 |
|---|---|---|---|
| 개 | 나의 생각 | | |

○ $\dfrac{2}{3} \div 2$의 계산

→ $\dfrac{2}{3} \div 2 = \dfrac{2 \div 2}{3} = \dfrac{1}{3}$

→ 나눌 수의 분자 2가 나누는 수의 2의 배수이므로 분자를 자연수로 나눕니다.

※ 분자가 자연수의 배수인 (진분수)÷(자연수)의 계산은 나눌 수가 나누는 수의 배수인지 확인하고, 배수가 맞다면 분자를 자연수로 나눕니다.

### 핵심 포인트

• (분자)<(분모)인 분수를 진분수라고 합니다.

→ $\dfrac{2}{3}$를 2로 나누면 $\dfrac{2}{6}$ 입니다 $\dfrac{2}{6}$는 약분하면 $\dfrac{1}{3}$ 입니다.

## ⧗ (01~12) 빈칸에 알맞은 수를 써넣으세요.

**01** $\dfrac{3}{4} \div 3 = \dfrac{3 \div \square}{4} = \dfrac{\square}{\square}$

**02** $\dfrac{2}{5} \div 2 = \dfrac{2 \div \square}{5} = \dfrac{\square}{\square}$

**03** $\dfrac{6}{16} \div 2 = \dfrac{6 \div \square}{16} = \dfrac{\square}{\square}$

**04** $\dfrac{8}{9} \div 4 = \dfrac{8 \div \square}{9} = \dfrac{\square}{\square}$

**05** $\dfrac{21}{36} \div 3 = \dfrac{21 \div \square}{36} = \dfrac{\square}{\square}$

**06** $\dfrac{12}{17} \div 4 = \dfrac{12 \div \square}{17} = \dfrac{\square}{\square}$

**07** $\dfrac{10}{12} \div 2 = \dfrac{10 \div \square}{12} = \dfrac{\square}{\square}$

**08** $\dfrac{16}{19} \div 4 = \dfrac{16 \div \square}{19} = \dfrac{\square}{\square}$

**09** $\dfrac{8}{15} \div \square = \dfrac{2}{15}$

**10** $\dfrac{9}{11} \div \square = \dfrac{3}{11}$

**11** $\dfrac{5}{8} \div \square = \dfrac{1}{8}$

**12** $\dfrac{12}{13} \div \square = \dfrac{2}{13}$

 계산력 강화하기

🖩 (13~33) 계산을 하세요.

**13** $\dfrac{6}{7} \div 2$

**14** $\dfrac{16}{25} \div 8$

**15** $\dfrac{12}{14} \div 4$

**16** $\dfrac{6}{7} \div 3$

**17** $\dfrac{15}{19} \div 3$

**18** $\dfrac{8}{11} \div 4$

**19** $\dfrac{8}{9} \div 2$

**20** $\dfrac{14}{23} \div 7$

**21** $\dfrac{18}{29} \div 9$

**22** $\dfrac{22}{31} \div 11$

**23** $\dfrac{20}{33} \div 5$

**24** $\dfrac{12}{17} \div 4$

**25** $\dfrac{16}{19} \div 4$

**26** $\dfrac{21}{25} \div 7$

**27** $\dfrac{18}{41} \div 3$

**28** $\dfrac{18}{19} \div 2$

**29** $\dfrac{28}{33} \div 7$

**30** $\dfrac{24}{31} \div 12$

**31** $\dfrac{72}{83} \div 8$

**32** $\dfrac{39}{40} \div 13$

**33** $\dfrac{18}{43} \div 3$

# 구조화 하기

📖 (34~45) 빈칸에 알맞은 수를 써넣으세요.

**34** $\dfrac{15}{26}$ → $\div 5$ → ☐

**40** $\dfrac{24}{35}$ → $\div 6$ → ☐

**35** $\dfrac{12}{13}$ → $\div 2$ → ☐

**41** $\dfrac{36}{37}$ → $\div 12$ → ☐

**36** $\dfrac{32}{51}$ → $\div 8$ → ☐

**42** $\dfrac{27}{29}$ → $\div 9$ → ☐

**37** $\dfrac{21}{32}$ → $\div 7$ → ☐

**43** $\dfrac{16}{19}$ → $\div 4$ → ☐

**38** $\dfrac{39}{47}$ → $\div 13$ → ☐

**44** $\dfrac{30}{31}$ → $\div 5$ → ☐

**39** $\dfrac{14}{17}$ → $\div 2$ → ☐

**45** $\dfrac{36}{47}$ → $\div 18$ → ☐

# 서술형 풀어보기

**46** 세 개의 반이 카레를 만드는데 $\frac{15}{17}$ kg의 돼지고기를 3덩이로 똑같이 나누었습니다. 한 반이 가지는 돼지고기의 무게는 몇 kg일까요?

[풀이과정]

(1) 처음 돼지고기는 ☐ kg이 있습니다.

(2) 세 덩이로 나누는 식은 ☐ ÷ ☐ 입니다.

(3) 그러므로, 한 반이 가지는 돼지고기는 ☐ kg입니다.

💡 (47~50) 풀이과정을 쓰고 답을 구하세요.

**47** 넓이가 $\frac{20}{27}$ cm²인 직사각형의 한 변의 길이는 5 cm라고 합니다. 이 직사각형의 다른 한 변의 길이는 몇 cm일까요?

풀이

답 _____ cm

**48** 어느 직사각형의 넓이가 $\frac{28}{31}$ m²이고, 세로의 길이는 7 m라고 합니다. 이 직사각형의 가로의 길이를 구하세요.

풀이

답 _____ m

**49** $\frac{16}{27}$ m의 가래떡을 8등분했습니다. 8등분 한 가래떡의 한 덩이는 몇 m일까요?

풀이

답 _____ m

**50** 도희는 똑같은 시집을 네 권 샀습니다. 시집 네 권의 무게는 $\frac{24}{25}$ kg이었습니다. 시집 한 권의 무게는 몇 kg일까요?

풀이

답 _____ kg

👍 연마 *Check* 칭찬이나 노력할 점을 써 주세요.

| 맞힌 개수 | 지도 의견 | | 확인란 |
|---|---|---|---|
| 개 | 나의 생각 | | |

# (진분수)÷(자연수)②

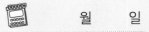

○ $\frac{3}{4} \div 2$의 계산

→ $\frac{3}{4} \div 2 = \frac{3}{4} \times \frac{1}{2} = \frac{3}{8}$

① 분자가 자연수의 배수가 아닌 (진분수)÷(자연수): 나누기를 곱하기로 바꿉니다. $\frac{3}{4} \div 2 = \frac{3}{4} \times \frac{1}{2}$

② 분모는 분모끼리, 분자는 분자끼리 곱합니다. 이때, 약분이 되면 약분을 합니다. $\frac{3}{4} \times \frac{1}{2} = \frac{3 \times 1}{4 \times 2} = \frac{3}{8}$

**핵심포인트**

그림과 같이 $\frac{3}{4}$을 2로 나누면 $\frac{3}{8}$이 됩니다.

⏳ (01~10) 빈칸에 알맞은 수를 써넣으세요.

**01** $\frac{6}{7} \div 4 = \frac{6}{7} \times \frac{1}{\square} = \square$

**02** $\frac{3}{5} \div 6 = \frac{3}{5} \times \frac{1}{\square} = \square$

**03** $\frac{5}{6} \div 10 = \frac{5}{6} \times \frac{1}{\square} = \square$

**04** $\frac{8}{9} \div 12 = \frac{8}{9} \times \frac{\square}{\square} = \square$

**05** $\frac{3}{10} \div 6 = \frac{3}{10} \times \frac{\square}{\square} = \square$

**06** $\frac{9}{11} \div 5 = \frac{9}{11} \times \frac{\square}{\square} = \square$

**07** $\frac{5}{8} \div 20 = \frac{5}{8} \times \frac{\square}{\square} = \square$

**08** $\frac{7}{12} \div 14 = \frac{7}{12} \times \frac{\square}{\square} = \square$

**09** $\frac{5}{7} \div 12 = \frac{5}{7} \times \frac{\square}{\square} = \square$

**10** $\frac{8}{15} \div 14 = \frac{8}{15} \times \frac{\square}{\square} = \square$

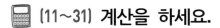 **(11~31) 계산을 하세요.**

**11** $\dfrac{2}{3} \div 8$

**12** $\dfrac{3}{7} \div 6$

**13** $\dfrac{1}{4} \div 7$

**14** $\dfrac{5}{6} \div 15$

**15** $\dfrac{3}{7} \div 9$

**16** $\dfrac{5}{8} \div 2$

**17** $\dfrac{7}{10} \div 3$

**18** $\dfrac{4}{9} \div 16$

**19** $\dfrac{11}{13} \div 22$

**20** $\dfrac{3}{10} \div 18$

**21** $\dfrac{2}{11} \div 10$

**22** $\dfrac{5}{12} \div 30$

**23** $\dfrac{12}{13} \div 15$

**24** $\dfrac{4}{15} \div 20$

**25** $\dfrac{9}{14} \div 24$

**26** $\dfrac{3}{16} \div 30$

**27** $\dfrac{13}{20} \div 39$

**28** $\dfrac{4}{9} \div 20$

**29** $\dfrac{22}{25} \div 33$

**30** $\dfrac{20}{23} \div 24$

**31** $\dfrac{15}{16} \div 60$

📖 **(32~43) 빈칸에 알맞은 수를 써넣으세요.**

**32**  $\frac{4}{5}$ → ÷16 → ☐

**33**  $\frac{3}{7}$ → ÷15 → ☐

**34**  $\frac{5}{8}$ → ÷55 → ☐

**35**  $\frac{4}{9}$ → ÷14 → ☐

**36**  $\frac{6}{11}$ → ÷21 → ☐

**37**  $\frac{5}{14}$ → ÷10 → ☐

**38**  $\frac{10}{13}$ → ÷18 → ☐

**39**  $\frac{7}{12}$ → ÷28 → ☐

**40**  $\frac{6}{13}$ → ÷21 → ☐

**41**  $\frac{3}{14}$ → ÷12 → ☐

**42**  $\frac{10}{17}$ → ÷8 → ☐

**43**  $\frac{16}{19}$ → ÷40 → ☐

# 서술형 풀어보기

구조화 해서 풀어보아요

**44** 민재가 철사를 사용해서 정오각형을 만들었습니다. 사용된 철사의 길이가 $\frac{10}{13}$ m라고 할 때, 정오각형의 한 변의 길이는 몇 m일까요?

( 풀이과정 )

(1) 정오각형 다섯 변의 길이의 합은 ☐ m입니다.

(2) (한 변의 길이)=(다섯 변의 길이의 합)÷☐ 입니다.

(3) 그러므로 민재가 만든 정오각형의 한 변의 길이는 ☐ m입니다.

$\frac{10}{13}$ → ÷5 → ☐

💡 **(45~48) 풀이과정을 쓰고 답을 구하세요.**

**45** 다음은 나눗셈을 분수로 나타낸 식입니다. 계산 과정 가운데 틀린 부분이 있으면 바르게 고치고, 계산 결과를 구해보세요.

$$\frac{8}{28} \div 16 = \frac{28}{8} \times \frac{1}{16} = \frac{7}{4 \times 16} = \frac{7}{64}$$

풀이  바르게 계산:

답

**46** 말린 녹차 $\frac{11}{14}$ kg을 22등분하여 티백에 담으려고 합니다. 티백 하나에 몇 g의 말린 녹차를 넣어야 할까요? (계산 결과는 대분수로 나타내세요.)

풀이

답 _____ g

**47** $\frac{25}{26}$ km의 담장을 쌓는데 10명이 똑같은 길이로 나누어 쌓으려 합니다. 1명이 몇 km의 담장을 쌓아야 할까요?

풀이

답 _____ km

**48** 물 $\frac{4}{13}$ L를 6명이 똑같이 나눠 마셨습니다. 한 사람이 마신 물의 양은 몇 L일까요?

풀이

답 _____ L

👆 **연마 Check** 칭찬이나 노력할 점을 써 주세요.

| 맞힌 개수 | 지도 의견 | | 확인란 |
|---|---|---|---|
| 개 | 나의 생각 | | |

○ $\dfrac{4}{3} \div 2$의 계산

$$\dfrac{4}{3} \div 2 = \dfrac{4 \div 2}{3} = \dfrac{2}{3}$$

→ 분자가 자연수의 배수이므로 분자를 자연수로 나눕니다.

[다른 풀이 방법] $\dfrac{4}{3} \div 2 = \dfrac{4}{3} \times \dfrac{1}{2} = \dfrac{2}{3}$

분자가 자연수의 배수가 아닌 (진분수) ÷ (자연수)의 셈을 할 때 배운 방법처럼 계산을 해도 결과는 같습니다.

### 핵심 포인트

• 분자가 자연수의 배수인 (가분수) ÷ (자연수)의 계산은 나눠지는 수가 (가분수)라는 점만 다를 뿐, 분자가 자연수의 배수인 (진분수) ÷ (자연수)에서 배운 방법과 풀이 방법은 같습니다.

⏳ (01~10) 빈칸에 알맞은 수를 써넣으세요.

**01** $\dfrac{3}{2} \div 3 = \dfrac{3 \div \boxed{\phantom{0}}}{2} = \boxed{\phantom{0}}$

**06** $\dfrac{16}{7} \div 8 = \dfrac{16 \div \boxed{\phantom{0}}}{7} = \boxed{\phantom{0}}$

**02** $\dfrac{9}{4} \div 3 = \dfrac{9 \div \boxed{\phantom{0}}}{4} = \boxed{\phantom{0}}$

**07** $\dfrac{22}{9} \div 11 = \dfrac{22 \div \boxed{\phantom{0}}}{9} = \boxed{\phantom{0}}$

**03** $\dfrac{10}{3} \div 2 = \dfrac{10 \div \boxed{\phantom{0}}}{3} = \boxed{\phantom{0}}$

**08** $\dfrac{20}{11} \div \boxed{\phantom{0}} = \dfrac{5}{11}$

**04** $\dfrac{15}{4} \div 5 = \dfrac{15 \div \boxed{\phantom{0}}}{4} = \boxed{\phantom{0}}$

**09** $\dfrac{9}{10} \div \boxed{\phantom{0}} = \dfrac{3}{10}$

**05** $\dfrac{12}{7} \div 4 = \dfrac{12 \div \boxed{\phantom{0}}}{7} = \boxed{\phantom{0}}$

**10** $\dfrac{24}{13} \div \boxed{\phantom{0}} = \dfrac{8}{13}$

 **(11~31) 계산을 하세요.**

**11** $\dfrac{12}{7} \div 6$

**18** $\dfrac{14}{13} \div 7$

**25** $\dfrac{36}{19} \div 6$

**12** $\dfrac{18}{5} \div 6$

**19** $\dfrac{27}{14} \div 9$

**26** $\dfrac{46}{17} \div 23$

**13** $\dfrac{20}{7} \div 5$

**20** $\dfrac{16}{13} \div 4$

**27** $\dfrac{42}{19} \div 7$

**14** $\dfrac{24}{9} \div 3$

**21** $\dfrac{28}{15} \div 14$

**28** $\dfrac{40}{21} \div 5$

**15** $\dfrac{39}{10} \div 13$

**22** $\dfrac{33}{16} \div 3$

**29** $\dfrac{54}{23} \div 3$

**16** $\dfrac{35}{11} \div 5$

**23** $\dfrac{32}{15} \div 4$

**30** $\dfrac{56}{17} \div 7$

**17** $\dfrac{33}{14} \div 11$

**24** $\dfrac{20}{17} \div 5$

**31** $\dfrac{90}{19} \div 10$

# 구조화 하기

구조화 하기를 연습하면 서술형도 쉽게 풀어요

**(32~43)** 빈칸에 알맞은 수를 써넣으세요.

**32** $\frac{12}{5}$ → $\div 3$ → ☐

**33** $\frac{24}{7}$ → $\div 6$ → ☐

**34** $\frac{32}{9}$ → $\div 16$ → ☐

**35** $\frac{80}{7}$ → $\div 16$ → ☐

**36** $\frac{55}{8}$ → $\div 11$ → ☐

**37** $\frac{27}{10}$ → $\div 3$ → ☐

**38** $\frac{75}{13}$ → $\div 5$ → ☐

**39** $\frac{39}{14}$ → $\div 13$ → ☐

**40** $\frac{49}{8}$ → $\div 7$ → ☐

**41** $\frac{64}{15}$ → $\div 8$ → ☐

**42** $\frac{100}{9}$ → $\div 25$ → ☐

**43** $\frac{104}{17}$ → $\div 26$ → ☐

# 서술형 풀어보기

구조화 해서 풀어보아요

**44** 직사각형 모양의 화단이 있습니다. 이 화단의 가로의 길이는 9 m이고, 넓이는 $\frac{162}{25}$ m²라고 합니다. 세로의 길이는 몇 m일까요?

**풀이과정**

(1) (세로의 길이)＝(직사각형의 넓이)÷([    ]의 길이)

(2) 계산을 하면 [    ]÷[    ]＝[    ]입니다.

(3) 그러므로 이 화단의 세로의 길이는 [    ] m입니다.

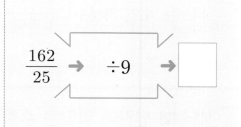

$$\frac{162}{25} \rightarrow \div 9 \rightarrow \boxed{\phantom{xx}}$$

💡 **(45~48) 풀이과정을 쓰고 답을 구하세요.**

**45** $\frac{9}{4}$ m의 털실로 정삼각형을 만들었습니다. 이 정삼각형의 한 변의 길이는 몇 m일까요?

풀이

답 _____ m

**46** 지면으로부터의 높이가 $\frac{36}{7}$ m인 계단이 있습니다. 일정한 높이로 있는 계단의 개수는 모두 12개라고 합니다. 이 계단 한 개의 높이는 몇 m일까요?

풀이

답 _____ m

**47** 어느 평행사변형의 넓이는 $\frac{50}{11}$ cm²입니다. 이 평행사변형의 밑변의 길이가 5 cm라 할 때, 높이의 길이는 몇 cm일까요?

풀이

답 _____ cm

**48** 같은 길이의 철사 4개를 이어 놓아, 둘레의 길이가 $\frac{48}{13}$ cm인 정사각형을 만들었습니다. 철사 1개의 길이는 몇 cm일까요?

풀이

답 _____ cm

**연마 Check** 칭찬이나 노력할 점을 써 주세요.

| 맞힌 개수 | 지도 의견 | | 확인란 |
|---|---|---|---|
| 개 | 나의 생각 | | |

## (가분수)÷(자연수)②

○ $\frac{8}{3} \div 6$의 계산

→ $\frac{8}{3} \div 6 = \frac{8}{3} \times \frac{1}{6} = \frac{4 \times 1}{3 \times 3} = \frac{4}{9}$

→ 분자가 자연수의 배수가 아닌 (가분수)÷(자연수)의 계산은 나누는 수인 자연수를 $\frac{1}{(자연수)}$로 고쳐 계산합니다.

$\div 6 \rightarrow \times \frac{1}{6}$

**핵심 포인트**

• 약분이 필요한 경우: 계산 과정 중에 약분을 해도 되고, 계산을 마친 후에 약분을 해도 됩니다.

$\frac{8}{3} \div 6 = \frac{8}{3} \times \frac{1}{6} = \frac{8 \times 1}{3 \times 6}$

$= \frac{8}{18} = \frac{4}{9}$

약분

⌛ **(01~10) 빈칸에 알맞은 수를 써넣으세요.**

**01** $\frac{7}{2} \div 3 = \frac{7}{2} \times \frac{1}{\square} = \square$

**06** $\frac{15}{4} \div 9 = \frac{15}{4} \times \frac{1}{\square} = \square$

**02** $\frac{11}{3} \div 2 = \frac{11}{3} \times \frac{\square}{\square} = \square$

**07** $\frac{16}{3} \div 10 = \frac{16}{3} \times \frac{\square}{\square} = \square$

**03** $\frac{9}{4} \div 12 = \frac{9}{4} \times \frac{1}{\square} = \square$

**08** $\frac{21}{4} \div 15 = \frac{21}{4} \times \frac{\square}{\square} = \square$

**04** $\frac{14}{5} \div 6 = \frac{14}{5} \times \frac{\square}{\square} = \square$

**09** $\frac{8}{7} \div 10 = \frac{8}{7} \times \frac{\square}{\square} = \square$

**05** $\frac{7}{3} \div 8 = \frac{7}{3} \times \frac{\square}{\square} = \square$

**10** $\frac{11}{6} \div 5 = \frac{11}{6} \times \frac{\square}{\square} = \square$

[11~31] 계산을 하세요.(계산 결과가 가분수이면 대분수로 고치세요.)

11 $\dfrac{4}{3} \div 6$

18 $\dfrac{5}{3} \div 4$

25 $\dfrac{25}{12} \div 35$

12 $\dfrac{7}{2} \div 2$

19 $\dfrac{7}{6} \div 5$

26 $\dfrac{22}{3} \div 8$

13 $\dfrac{6}{5} \div 8$

20 $\dfrac{9}{8} \div 6$

27 $\dfrac{12}{5} \div 9$

14 $\dfrac{9}{4} \div 15$

21 $\dfrac{13}{10} \div 6$

28 $\dfrac{22}{13} \div 33$

15 $\dfrac{8}{5} \div 12$

22 $\dfrac{10}{9} \div 4$

29 $\dfrac{18}{5} \div 8$

16 $\dfrac{7}{3} \div 14$

23 $\dfrac{14}{9} \div 21$

30 $\dfrac{24}{7} \div 9$

17 $\dfrac{11}{4} \div 3$

24 $\dfrac{11}{10} \div 3$

31 $\dfrac{21}{10} \div 35$

 **(32~43)** 나눗셈의 몫의 크기를 비교하여 ◯ 안에 >, =, <를 알맞게 써넣으세요.

**32** $\dfrac{3}{2} \div 6$ ◯ $\dfrac{14}{5} \div 6$

**33** $\dfrac{11}{4} \div 3$ ◯ $\dfrac{18}{5} \div 6$

**34** $\dfrac{7}{2} \div 3$ ◯ $\dfrac{8}{5} \div 4$

**35** $\dfrac{11}{5} \div 4$ ◯ $\dfrac{8}{3} \div 16$

**36** $\dfrac{9}{7} \div 11$ ◯ $\dfrac{15}{4} \div 3$

**37** $\dfrac{16}{5} \div 6$ ◯ $\dfrac{10}{7} \div 12$

**38** $\dfrac{13}{9} \div 3$ ◯ $\dfrac{25}{6} \div 15$

**39** $\dfrac{27}{8} \div 9$ ◯ $\dfrac{12}{5} \div 16$

**40** $\dfrac{31}{10} \div 4$ ◯ $\dfrac{33}{8} \div 6$

**41** $\dfrac{15}{7} \div 10$ ◯ $\dfrac{37}{10} \div 7$

**42** $\dfrac{18}{5} \div 10$ ◯ $\dfrac{22}{9} \div 3$

**43** $\dfrac{27}{14} \div 6$ ◯ $\dfrac{35}{16} \div 20$

# 서술형 풀어보기

**44** 호박죽 $\frac{24}{7}$ L를 9개의 그릇에 똑같이 담으려고 합니다. 한 그릇에 몇 L의 호박죽을 담을 수 있을까요?

**풀이과정**

(1) 식을 세우면 (호박죽 전체의 양)÷ (그릇의 개수)이므로 □ ÷ □ 입니다.

(2) 계산을 하면 □ L입니다.

$$\frac{24}{7} \div 9 = \frac{24}{7} \times \frac{\square}{\square} = \square$$

### (45~48) 풀이과정을 쓰고 답을 구하세요.

**45** $\frac{26}{5}$ kg의 닭고기를 4마리의 사자에게 똑같이 나눠주려고 합니다. 한 마리에게 몇 kg씩 나눠줄 수 있을까요?

**풀이**

**답** _____ kg

**46** 둘레가 $\frac{16}{7}$ m인 정삼각형이 있습니다. 이 정삼각형의 한 변의 길이는 몇 m일까요?

**풀이**

**답** _____ m

**47** $\frac{15}{2}$ km의 털실을 9등분하여 9개의 봉투에 넣는다면 봉투 한 개에 들어가는 털실은 몇 km일까요?

**풀이**

**답** _____ km

**48** 단팥빵을 만드는데 팥소의 양이 똑같이 들어갑니다. $\frac{57}{4}$ kg의 팥소를 사용해 모두 90개의 단팥빵을 만들었을 때, 단팥빵 한 개에 들어가는 팥소의 양은 몇 g일까요?

**풀이**

**답** _____ g

**연마 Check**   칭찬이나 노력할 점을 써 주세요.

| 맞힌 개수 | 지도 의견 | | 확인란 |
|---|---|---|---|
| 개 | 나의 생각 | | |

## (대분수)÷(자연수)①

● 분자가 자연수의 배수인 (대분수) ÷ (자연수)

$$4\frac{1}{2} \div 3 = \frac{9}{2} \div 3 = \frac{9 \div 3}{2} = \frac{3}{2} = 1\frac{1}{2}$$

① 대분수를 가분수로 고칩니다.   ③ 가분수를 대분수로 고칩니다.

② 9가 3의 배수이기 때문에 분자를 자연수로 나눕니다.

**핵심포인트**

• (대분수) ÷ (자연수)의 계산
① 대분수를 가분수로 고칩니다.
⇒ $4\frac{1}{2} = \frac{2 \times 4 + 1}{2} = \frac{9}{2}$
② 분자가 자연수의 배수라면, 분자와 자연수를 나눕니다.
⇒ $\frac{9}{2} \div 3 = \frac{9 \div 3}{2} = \frac{3}{2}$
③ 계산 결과가 가분수이면, 대분수로 고칩니다. ⇒ $\frac{3}{2} = 1\frac{1}{2}$

**(01~15) 계산을 하세요. (계산 결과가 가분수가 되면, 대분수로 고치세요.)**

**01** $1\frac{2}{3} \div 5$

**02** $2\frac{2}{5} \div 3$

**03** $3\frac{3}{4} \div 3$

**04** $2\frac{2}{7} \div 4$

**05** $2\frac{4}{5} \div 7$

**06** $3\frac{1}{8} \div 5$

**07** $2\frac{2}{9} \div 4$

**08** $1\frac{1}{3} \div 2$

**09** $3\frac{3}{5} \div 6$

**10** $5\frac{5}{6} \div 5$

**11** $1\frac{2}{7} \div 3$

**12** $4\frac{2}{5} \div 11$

**13** $7\frac{1}{2} \div 5$

**14** $2\frac{5}{8} \div 3$

**15** $3\frac{5}{9} \div 8$

 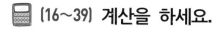
**(16~39) 계산을 하세요.**

**16** $1\dfrac{1}{5} \div 3$

**17** $1\dfrac{1}{7} \div 2$

**18** $5\dfrac{5}{6} \div 7$

**19** $2\dfrac{4}{7} \div 2$

**20** $2\dfrac{4}{5} \div 7$

**21** $3\dfrac{3}{4} \div 5$

**22** $6\dfrac{2}{3} \div 5$

**23** $10\dfrac{1}{2} \div 3$

**24** $4\dfrac{3}{8} \div 7$

**25** $2\dfrac{4}{9} \div 11$

**26** $3\dfrac{3}{10} \div 3$

**27** $5\dfrac{5}{8} \div 9$

**28** $2\dfrac{2}{11} \div 8$

**29** $7\dfrac{1}{5} \div 6$

**30** $4\dfrac{4}{7} \div 4$

**31** $8\dfrac{4}{5} \div 11$

**32** $5\dfrac{1}{2} \div 11$

**33** $5\dfrac{1}{4} \div 7$

**34** $7\dfrac{1}{7} \div 10$

**35** $12\dfrac{2}{3} \div 2$

**36** $8\dfrac{1}{6} \div 7$

**37** $5\dfrac{7}{9} \div 4$

**38** $2\dfrac{1}{10} \div 7$

**39** $3\dfrac{3}{13} \div 6$

# 구조화 하기

**(40~51) 빈칸에 알맞은 수를 써넣으세요.**

**40**
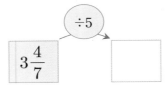

**46**
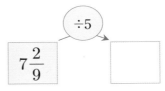

**41**
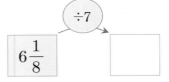

**47**
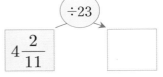

**42**
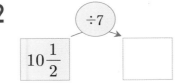

**48**
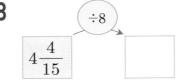

**43**
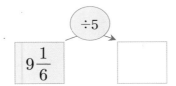

**49**
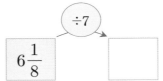

**44**
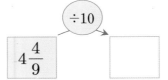

**50**
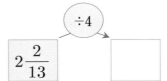

**45**
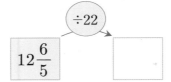

**51**
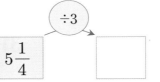

# 서술형 풀어보기

**52** 넓이가 $9\frac{1}{3}$ cm²인 직사각형이 있습니다. 이 직사각형의 가로의 길이가 4 cm일 때, 세로의 길이를 구하세요.

**풀이과정**

(1) (직사각형의 넓이)=(가로)×(세로)이므로,

(세로의 길이)= ☐ ÷ ☐ = ☐ 로 계산할 수 있습니다.

(2) 그러므로 직사각형의 세로의 길이는 ☐ cm입니다.

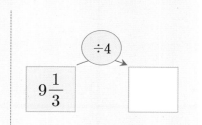

**(53~56) 풀이과정을 쓰고 답을 구하세요.**

**53** 설탕 $6\frac{3}{7}$ kg을 5등분하여 유리병 5개에 담았습니다. 유리병 하나에는 몇 kg의 설탕을 넣을 수 있을까요?

풀이

답 _____ kg

**55** 둘레의 길이가 $8\frac{8}{9}$ m인 정사각형이 있습니다. 이 정사각형의 한 변의 길이는 몇 m일까요?

풀이

답 _____ m

**54** 넓이가 $12\frac{3}{5}$ km²인 평행사변형 모양의 양 울타리가 있습니다. 이 울타리의 밑변의 길이가 7 km일 때, 높이는 몇 km일까요?

풀이

답 _____ km

**56** 집에 친구들을 초대해서 $1\frac{7}{11}$ L의 우유를 6명이 똑같이 나눠 마셨습니다. 한 명이 마신 우유는 몇 L일까요?

풀이

답 _____ L

**연마 Check** 칭찬이나 노력할 점을 써 주세요.

| 맞힌 개수 | 지도 의견 | | 확인란 |
|---|---|---|---|
| 개 | 나의 생각 | | |

# 08 일차 (대분수)÷(자연수)②

● 분자가 자연수의 배수가 아닌 (대분수) ÷ (자연수)

$$3\frac{1}{2} \div 5 = \frac{7}{2} \div 5 = \frac{7}{2} \times \frac{1}{5} = \frac{7}{10}$$

① 대분수를 가분수로 고칩니다.

② ÷(자연수)를 × $\frac{1}{(자연수)}$ 로 고칩니다.

### 핵심포인트

・(대분수)÷(자연수)의 계산

① 대분수를 가분수로 고칩니다.

⇒ $3\frac{1}{2} = \frac{2\times3+1}{2} = \frac{7}{2}$

② 분자가 자연수의 배수가 아니라면,

÷자연수를 × $\frac{1}{(자연수)}$ 로 고칩니다.

⇒ $\frac{7}{2} \div 5 = \frac{7}{2} \times \frac{1}{5}$

③ 계산 결과가 가분수라면, 대분수로 고칩니다.

⌛ (01~15) 계산을 하세요.

**01** $1\frac{1}{2} \div 4$

**02** $2\frac{1}{3} \div 5$

**03** $2\frac{2}{5} \div 7$

**04** $5\frac{2}{3} \div 2$

**05** $3\frac{1}{7} \div 4$

**06** $4\frac{2}{3} \div 4$

**07** $8\frac{2}{5} \div 8$

**08** $3\frac{1}{6} \div 3$

**09** $4\frac{4}{5} \div 10$

**10** $6\frac{3}{4} \div 12$

**11** $5\frac{1}{4} \div 6$

**12** $2\frac{1}{6} \div 39$

**13** $6\frac{3}{5} \div 15$

**14** $8\frac{1}{3} \div 10$

**15** $3\frac{1}{7} \div 6$

一단계

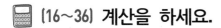 (16~36) 계산을 하세요.

**16** $5\frac{1}{3} \div 6$

**17** $5\frac{1}{5} \div 4$

**18** $3\frac{5}{7} \div 6$

**19** $2\frac{3}{8} \div 2$

**20** $4\frac{2}{7} \div 8$

**21** $4\frac{1}{6} \div 15$

**22** $3\frac{3}{5} \div 4$

**23** $2\frac{4}{9} \div 4$

**24** $5\frac{3}{10} \div 8$

**25** $4\frac{3}{8} \div 10$

**26** $3\frac{3}{7} \div 16$

**27** $4\frac{2}{11} \div 6$

**28** $6\frac{4}{5} \div 4$

**29** $3\frac{9}{11} \div 12$

**30** $9\frac{1}{6} \div 15$

**31** $13\frac{1}{2} \div 12$

**32** $5\frac{3}{5} \div 8$

**33** $7\frac{2}{9} \div 10$

**34** $2\frac{11}{12} \div 14$

**35** $6\frac{3}{10} \div 18$

**36** $2\frac{4}{13} \div 8$

# 구조화 하기

구조화 하기를 연습하면 서술형도 쉽게 풀어요

(37~44) 빈칸에 알맞은 수를 써넣으세요.

**37**

$\div$

| $3\frac{3}{4}$ | 10 | |
| $\div$ 3 | | |

**38**

$\div$

| $6\frac{2}{3}$ | 5 | |
| $\div$ 15 | | |

**39**

$\div$

| $7\frac{1}{5}$ | 14 | |
| $\div$ 9 | | |

**40**

$\div$

| $5\frac{7}{9}$ | 2 | |
| $\div$ 8 | | |

**41**

$\div$

| $4\frac{2}{7}$ | 5 | |
| $\div$ 7 | | |

**42**

$\div$

| $7\frac{1}{7}$ | 20 | |
| $\div$ 10 | | |

**43**

$\div$

| $3\frac{2}{11}$ | 15 | |
| $\div$ 7 | | |

**44**

$\div$

| $4\frac{9}{10}$ | 7 | |
| $\div$ 3 | | |

# 서술형 풀어보기

**45** 무게가 똑같은 금덩이 6개의 무게의 합이 $5\frac{1}{3}$ kg이라고 합니다. 이 금덩이 1개의 무게는 몇 kg일까요?

풀이과정

(1) (금덩이 한 개의 무게)= ☐ ÷ ☐ 입니다.

(2) 계산을 하면 ☐ kg입니다.

$$5\frac{1}{3} \div 6 = \frac{\phantom{0}}{\phantom{0}} \div 6 = \frac{\phantom{0}}{\phantom{0}} \times \frac{\phantom{0}}{\phantom{0}}$$

$$= \frac{\phantom{0}}{\phantom{0}}$$

💡 **(46~49) 풀이과정을 쓰고 답을 구하세요.**

**46** 참기름 $4\frac{1}{5}$ L을 9병에 똑같이 나누어 담는다면, 한 병에 몇 L의 참기름이 들어갈까요?

풀이 _____

답 _____ L

**48** 무게와 크기가 똑같은 토끼 인형 30개의 무게는 $7\frac{7}{9}$ kg입니다. 토끼 인형 한 개의 무게는 몇 kg일까요?

풀이 _____

답 _____ kg

**47** 길이가 $2\frac{1}{8}$ m의 철사를 삼등분하여 정삼각형을 만들려고 합니다. 이 정삼각형 한 변의 길이는 몇 m가 될까요?

풀이 _____

답 _____ m

**49** 무게가 $3\frac{3}{10}$ kg인 초콜릿을 22등분하여 포장하였습니다. 포장한 초콜릿 2개의 무게는 몇 kg일까요?

풀이 _____

답 _____ kg

👆 **연마 Check** 칭찬이나 노력할 점을 써 주세요.

| 맞힌 개수 | 지도 의견 | | 확인란 |
|---|---|---|---|
| 개 | 나의 생각 | | |

# 각기둥과 각뿔 알아보기

월    일

- 각기둥: 밑면의 모양에 따라 삼각기둥, 사각기둥, 오각기둥, ... 이라고 합니다.

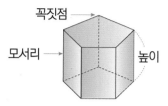

꼭짓점
모서리
높이

- 각뿔: 밑면의 모양에 따라 삼각뿔, 사각뿔, 오각뿔,... 이라고 합니다.

각뿔의 꼭짓점
높이
모서리
꼭짓점

**핵심 포인트**

- 오각기둥은 밑면이 2개, 옆면이 5개입니다.

- 밑면: 서로 평행하고 나머지 다른 면이 수직인 두 면

- 옆면: 밑면에 수직인 면

- 각뿔의 옆면은 삼각형입니다.

## (01~06) 각기둥의 이름을 쓰세요.

**01**

**03**

**05**

**02**

**04**

**06**

## (07~12) 각뿔의 이름을 쓰세요.

**07**

**09**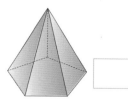

**11**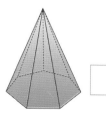

**08**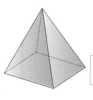

**10**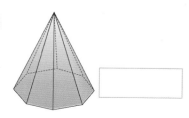

**12**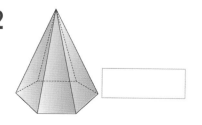

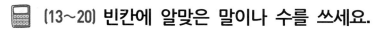 (13~20) 빈칸에 알맞은 말이나 수를 쓰세요.

**13**
- 밑면의 모양: ☐
- 선분의 개수: ☐ 개
- 꼭짓점의 개수: ☐ 개
- 면의 개수: ☐ 개

**17**
- 밑면의 모양: ☐
- 선분의 개수: ☐ 개
- 꼭짓점의 개수: ☐ 개
- 면의 개수: ☐ 개

**14**
- 밑면의 모양: ☐
- 선분의 개수: ☐ 개
- 꼭짓점의 개수: ☐ 개
- 면의 개수: ☐ 개

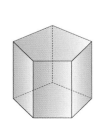

**18**
- 밑면의 모양: ☐
- 선분의 개수: ☐ 개
- 꼭짓점의 개수: ☐ 개
- 면의 개수: ☐ 개

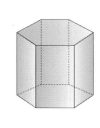

**15**
- 밑면의 모양: ☐
- 선분의 개수: ☐ 개
- 꼭짓점의 개수: ☐ 개
- 면의 개수: ☐ 개

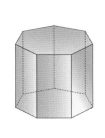

**19**
- 밑면의 모양: ☐
- 선분의 개수: ☐ 개
- 꼭짓점의 개수: ☐ 개
- 면의 개수: ☐ 개

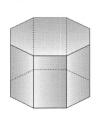

**16**
- 밑면의 모양: ☐
- 선분의 개수: ☐ 개
- 꼭짓점의 개수: ☐ 개
- 면의 개수: ☐ 개

**20**
- 밑면의 모양: ☐
- 선분의 개수: ☐ 개
- 꼭짓점의 개수: ☐ 개
- 면의 개수: ☐ 개

**(21~28) 빈칸에 알맞은 말이나 수를 쓰세요.**

**21**
· 밑면의 모양: 　　　　
· 선분의 개수: 　　 개
· 꼭짓점의 개수: 　　 개
· 면의 개수: 　　 개

**22**
· 밑면의 모양: 　　　　
· 선분의 개수: 　　 개
· 꼭짓점의 개수: 　　 개
· 면의 개수: 　　 개

**23**
· 밑면의 모양: 　　　　
· 선분의 개수: 　　 개
· 꼭짓점의 개수: 　　 개
· 면의 개수: 　　 개

**24**
· 밑면의 모양: 　　　　
· 선분의 개수: 　　 개
· 꼭짓점의 개수: 　　 개
· 면의 개수: 　　 개

**25**
· 밑면의 모양: 　　　　
· 선분의 개수: 　　 개
· 꼭짓점의 개수: 　　 개
· 면의 개수: 　　 개

**26**
· 밑면의 모양: 　　　　
· 선분의 개수: 　　 개
· 꼭짓점의 개수: 　　 개
· 면의 개수: 　　 개

**27**
· 밑면의 모양: 　　　　
· 선분의 개수: 　　 개
· 꼭짓점의 개수: 　　 개
· 면의 개수: 　　 개

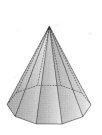

**28**
· 밑면의 모양: 　　　　
· 선분의 개수: 　　 개
· 꼭짓점의 개수: 　　 개
· 면의 개수: 　　 개

 (29~38) 물음에 답하세요.

**29** 밑면의 모양이 십이각형인 각기둥의 이름은 무엇일까요?

**30** 밑면의 모양이 팔각형인 각기둥의 이름은 무엇일까요?

**31** 모서리의 개수가 15개인 각기둥의 이름은 무엇일까요?

**32** 꼭짓점의 개수가 12개인 각기둥의 이름은 무엇일까요?

**33** 꼭짓점의 개수가 38개인 각기둥의 이름은 무엇일까요?

**34** 밑면의 모양이 십오각형인 각뿔의 이름은 무엇일까요?

**35** 모서리의 개수가 12개인 각뿔의 이름은 무엇일까요?

**36** 모서리의 개수가 10개인 각뿔의 이름은 무엇일까요?

**37** 꼭짓점의 개수가 13개인 각뿔의 이름은 무엇일까요?

**38** 꼭짓점의 개수가 18개인 각뿔의 이름은 무엇일까요?

연마 Check  칭찬이나 노력할 점을 써 주세요.

| 맞힌 개수 | 지도 의견 | | 확인란 |
|---|---|---|---|
| 개 | 나의 생각 | | |

# 10 일차

## 각기둥의 전개도 알아보기

월 일

● 각기둥의 전개도 그리기

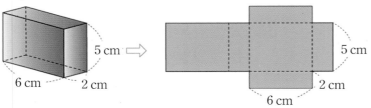

→ 각기둥의 전개도를 그릴 때 잘린 모서리는 실선으로, 잘리지 않은 모서리는 점선으로 그립니다.
→ 각기둥의 전개도는 모서리를 자르는 방법에 따라 여러 가지 모양이 있을 수 있습니다.

**핵심 포인트**

• 전개도는 모서리를 자르는 방법에 따라 모양이 달라집니다.

• 두 밑면은 합동이 되게 그립니다.

• 옆면은 직사각형으로 그립니다.

• 전개도를 접었을 때 서로 맞닿는 선분의 길이를 같게 그립니다.

⏳ (01~06) 전개도를 보고 각기둥의 이름을 쓰세요.

**01**

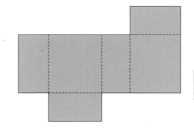

**02**

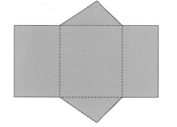

**03**

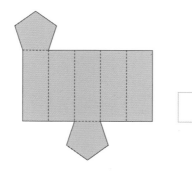

**04**

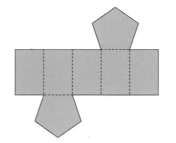

**05**

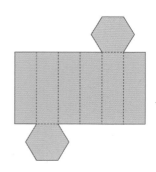

**06**

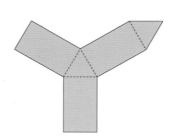

(07~09) 왼쪽 도형을 오른쪽 모눈종이에 전개도를 그리세요. (한 칸의 간격은 1cm입니다.)

**07**

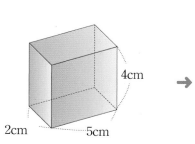

→

**08**

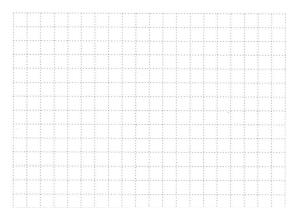

→

**09**

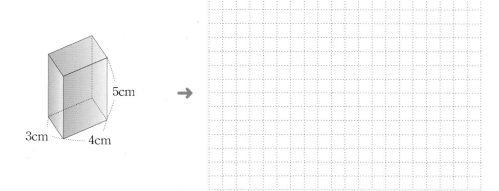

→

정확하게 풀어보아요

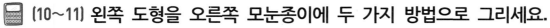

**(10~11) 왼쪽 도형을 오른쪽 모눈종이에 두 가지 방법으로 그리세요.**

(한 칸의 간격은 1cm입니다.)

**10**

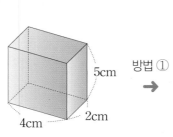

방법①
→

방법②
→

**11**

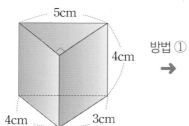

방법①
→

방법②
→

[12~15] 왼쪽 전개도를 점선을 따라 접어서 오른쪽 각기둥을 만들었습니다. □안에 알맞은 수를 써넣으세요.

**12**

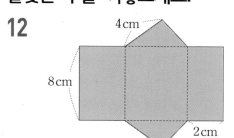

→

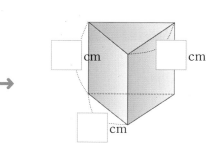

**13**

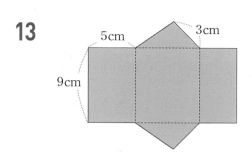

→

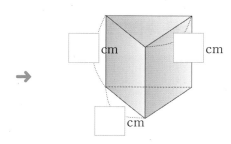

**14**

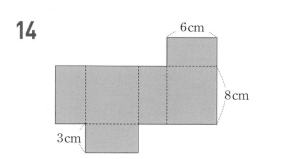

→

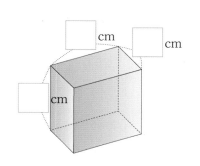

**15**

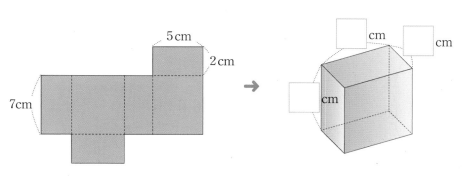

월　일

방법① 자연수의 나눗셈 이용하기

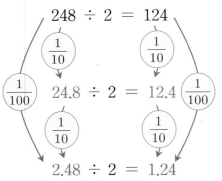

⏳ (01~04) 빈칸에 알맞은 수를 써넣으세요.

**01**

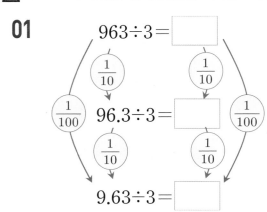

$963 \div 3 = \boxed{\phantom{000}}$

$96.3 \div 3 = \boxed{\phantom{000}}$

$9.63 \div 3 = \boxed{\phantom{000}}$

**03**

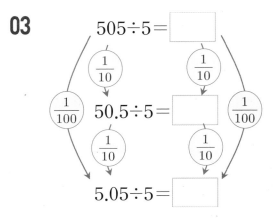

$505 \div 5 = \boxed{\phantom{000}}$

$50.5 \div 5 = \boxed{\phantom{000}}$

$5.05 \div 5 = \boxed{\phantom{000}}$

**02**

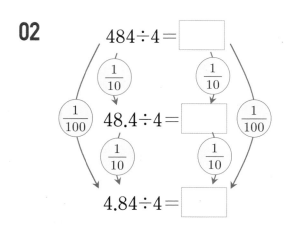

$484 \div 4 = \boxed{\phantom{000}}$

$48.4 \div 4 = \boxed{\phantom{000}}$

$4.84 \div 4 = \boxed{\phantom{000}}$

**04**

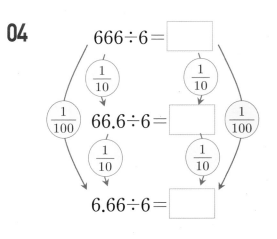

$666 \div 6 = \boxed{\phantom{000}}$

$66.6 \div 6 = \boxed{\phantom{000}}$

$6.66 \div 6 = \boxed{\phantom{000}}$

(05~22) 빈칸에 알맞은 수를 써넣으세요.

**05**　186÷6 = ☐

　　　18.6÷6 = ☐

**06**　219÷3 = ☐

　　　21.9÷3 = ☐

**07**　208÷4 = ☐

　　　20.8÷4 = ☐

**08**　427÷7 = ☐

　　　42.7÷7 = ☐

**09**　639÷9 = ☐

　　　63.9÷9 = ☐

**10**　248÷8 = ☐

　　　24.8÷8 = ☐

**11**　405÷5 = ☐

　　　40.5÷5 = ☐

**12**　217÷7 = ☐

　　　21.7÷7 = ☐

**13**　488÷8 = ☐

　　　48.8÷8 = ☐

**14**　366÷6 = ☐

　　　36.6÷6 = ☐

**15**　279÷9 = ☐

　　　27.9÷9 = ☐

**16**　462÷2 = ☐

　　　4.62÷2 = ☐

**17**　682÷2 = ☐

　　　6.82÷2 = ☐

**18**　693÷3 = ☐

　　　6.93÷3 = ☐

**19**　336÷3 = ☐

　　　3.36÷3 = ☐

**20**　408÷4 = ☐

　　　40.8÷4 = ☐

**21**　909÷9 = ☐

　　　90.9÷9 = ☐

**22**　555÷5 = ☐

　　　55.5÷5 = ☐

[23~43] 빈칸에 알맞은 수를 써넣으세요.

**23**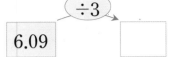
6.09 ÷3

**30**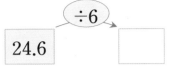
24.6 ÷6

**37**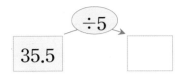
35.5 ÷5

**24**
10.5 ÷5

**31**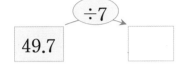
49.7 ÷7

**38**
8.84 ÷4

**25**
64.8 ÷8

**32**
39.3 ÷3

**39**
7.07 ÷7

**26**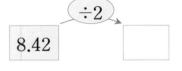
8.42 ÷2

**33**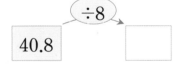
40.8 ÷8

**40**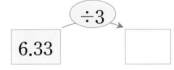
6.33 ÷3

**27**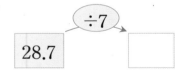
28.7 ÷7

**34**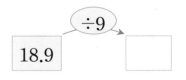
18.9 ÷9

**41**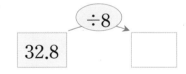
32.8 ÷8

**28**
48.6 ÷6

**35**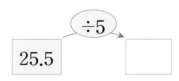
25.5 ÷5

**42**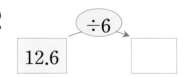
12.6 ÷6

**29**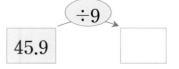
45.9 ÷9

**36**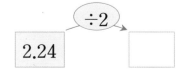
2.24 ÷2

**43**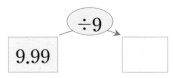
9.99 ÷9

# 서술형 풀어보기

구조화 해서 풀어보아요

**44** 42.6 m의 리본을 6명에게 똑같은 길이로 나누어 주려고 합니다. 한 명에게 나눠줄 수 있는 리본은 몇 m일까요?

풀이과정

(1) 리본의 길이는 [        ] m입니다.

(2) 리본을 똑같이 [    ] 도막으로 잘랐습니다.

(3) [        ] ÷ [    ] = [        ] m입니다.

```
            ÷6
42.6  ──────────▶  [      ]
```

💡 (45~48) 풀이과정을 쓰고 답을 구하세요.

**45** 엄마가 두 딸에게 백설기 2.8 kg을 똑같이 나누어 포장해 보내려고 합니다. 포장된 백설기는 몇 kg인가요?

풀이 _____

답 [        ] kg

**46** 1 g 분동 3개와 0.1 g 분동 6개를 페트리 접시 3개에 똑같이 모두 나누어 담았습니다. 페트리 접시 한 개에 담은 분동의 무게는 몇 g인가요?

풀이 _____

답 [        ] g

**47** 시멘트 가루 36.8 kg을 4팩으로 똑같이 나누면 한 팩은 몇 kg인가요?

풀이 _____

답 [        ] kg

**48** 태희는 운동장에 있는 448 m 트랙을 4구간으로 표시하고 싶고, 지현이는 44.8 m 트랙을 4구간으로 표시하고 싶습니다. 태희와 지현이는 각각 몇 m씩 구간을 나누면 될까요?

풀이 _____

답 태희: [        ] m, 지현: [        ] m

👍 연마 Check   칭찬이나 노력할 점을 써 주세요.

| 맞힌 개수 | | 지도 의견 | | 확인란 |
|---|---|---|---|---|
| | 개 | 나의 생각 | | |

# (소수)÷(자연수)②

월    일

**방법②** 분수의 나눗셈으로 계산하기

$$13.6 \div 8 = \frac{136}{10} \div 8 = \frac{136 \div 8}{10} = \frac{17}{10} = 1.7$$

→ 소수 한 자리 수를 분모가 10인 분수로 고칩니다.

→ 분수의 나눗셈으로 계산합니다.

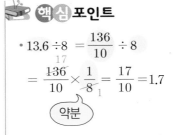

**핵심포인트**

$$\cdot 13.6 \div 8 = \frac{136}{10} \div 8$$

$$= \frac{\overset{17}{\cancel{136}}}{10} \times \frac{1}{\underset{1}{\cancel{8}}} = \frac{17}{10} = 1.7$$

약분

⏳ **(01~06) 빈칸에 알맞은 수를 써넣으세요.**

**01**
$$8.4 \div 6 = \frac{\boxed{\phantom{00}}}{10} \div 6$$
$$= \frac{\boxed{\phantom{00}} \div 6}{10} = \frac{\boxed{\phantom{00}}}{\boxed{\phantom{00}}} = \boxed{\phantom{00}}$$

**04**
$$8.5 \div 5 = \frac{\boxed{\phantom{00}}}{10} \div 5$$
$$= \frac{\boxed{\phantom{00}} \div \boxed{\phantom{00}}}{10} = \frac{\boxed{\phantom{00}}}{10} = \boxed{\phantom{00}}$$

**02**
$$17.2 \div 4 = \frac{\boxed{\phantom{00}}}{10} \div 4$$
$$= \frac{\boxed{\phantom{00}} \div \boxed{\phantom{00}}}{10} = \frac{\boxed{\phantom{00}}}{10} = \boxed{\phantom{00}}$$

**05**
$$48.6 \div 9 = \frac{\boxed{\phantom{00}}}{10} \div 9$$
$$= \frac{\boxed{\phantom{00}} \div \boxed{\phantom{00}}}{10} = \frac{\boxed{\phantom{00}}}{10} = \boxed{\phantom{00}}$$

**03**
$$4.5 \div 3 = \frac{\boxed{\phantom{00}}}{10} \div 3$$
$$= \frac{\boxed{\phantom{00}} \div \boxed{\phantom{00}}}{10} = \frac{\boxed{\phantom{00}}}{10} = \boxed{\phantom{00}}$$

**06**
$$19.6 \div 7 = \frac{\boxed{\phantom{00}}}{10} \div 7$$
$$= \frac{\boxed{\phantom{00}} \div \boxed{\phantom{00}}}{10} = \frac{\boxed{\phantom{00}}}{10} = \boxed{\phantom{00}}$$

📟 **(07~27) 분수의 나눗셈으로 계산을 하세요.**

**07** $9.5 \div 5$

**08** $50.4 \div 9$

**09** $27.3 \div 7$

**10** $57.6 \div 6$

**11** $13.8 \div 2$

**12** $20.8 \div 8$

**13** $19.5 \div 3$

**14** $19.2 \div 6$

**15** $86.1 \div 3$

**16** $43.2 \div 9$

**17** $76.5 \div 5$

**18** $15.6 \div 4$

**19** $43.4 \div 2$

**20** $93.1 \div 7$

**21** $8.4 \div 3$

**22** $30.1 \div 7$

**23** $73.8 \div 6$

**24** $47.6 \div 4$

**25** $92.8 \div 8$

**26** $67.5 \div 5$

**27** $72.8 \div 2$

3
단
계

📖 (28~48) 빈칸에 알맞은 수를 써넣으세요.

**28**  12.8  ÷8  □

**29**  89.6  ÷7  □

**30**  21.6  ÷6  □

**31**  4.2  ÷3  □

**32**  47.2  ÷2  □

**33**  41.4  ÷9  □

**34**  27.6  ÷4  □

**35**  7.8  ÷3  □

**36**  16.1  ÷7  □

**37**  19.8  ÷9  □

**38**  22.2  ÷6  □

**39**  56.4  ÷4  □

**40**  37.5  ÷5  □

**41**  9.2  ÷2  □

**42**  39.2  ÷4  □

**43**  8.4  ÷6  □

**44**  71.4  ÷3  □

**45**  22.5  ÷5  □

**46**  19.6  ÷7  □

**47**  9.6  ÷8  □

**48**  83.7  ÷9  □

# 서술형 풀어보기

**49** 둘레가 57.5 cm인 정오각형의 한 변의 길이는 몇 cm일까요?

( 풀이과정 )

(1) 둘레가 [    ] cm인 정오각형이 있습니다.

(2) 정오각형의 둘레는 [  ]개의 변의 길이의 합입니다.

(3) 한 변의 길이는 [    ] ÷ [  ] = [    ] cm입니다.

57.5 ( ÷5 ) [    ]

## (50~53) 풀이과정을 쓰고 답을 구하세요.

**50** 닭 8마리를 튀기는데 13.6 L의 식용유를 똑같이 나누어 사용했을 때, 닭 1마리에 사용한 식용유는 몇 L일까요?

풀이 _____

답 _____ L

**52** 선물 4개를 포장하는데 끈 51.2 cm를 똑같이 나누어 사용했습니다. 선물 1개를 포장할 때 사용된 끈은 몇 cm일까요?

풀이 _____

답 _____ cm

**51** 도원이는 자전거를 타고 일정한 빠르기로 3시간 동안 49.5 km를 달렸습니다. 도원이가 한 시간 동안 자전거로 달린 거리는 몇 km인가요?

풀이 _____

답 _____ km

**53** 포도주스 171.6 mL를 6명에게 똑같이 나누어 주려고 합니다. 한 명이 몇 mL를 마시게 될까요?

풀이 _____

답 _____ mL

### 연마 Check  칭찬이나 노력할 점을 써 주세요.

| 맞힌 개수 | 지도 의견 | | 확인란 |
|---|---|---|---|
| 개 | 나의 생각 | | |

## (소수)÷(자연수) ③

**방법③** 세로로 계산하기

나눌 수의 자리에 맞춰 몫에도 소수점을 찍어줍니다.

```
    2.8
3)8.4
    6
    2 4
    2 4
      0
```

여기엔 소수점을 찍지 않습니다.

**핵심 포인트**

· 몫의 소수점은 나눌 수의 소수점 자리에 맞추어 찍습니다.

· 소수점 자리만 주의하면 (자연수)÷(자연수)의 방법과 같습니다.

⧗ **(01~06) 빈칸에 알맞은 수를 써넣으세요.**

**01**

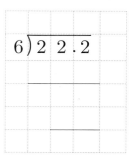

```
6)2 2.2
```

**03**

```
7)3 7.8
```

**05**

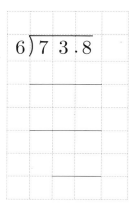

```
6)7 3.8
```

**02**

```
4)6 2.4
```

**04**

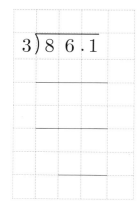

```
3)8 6.1
```

**06**

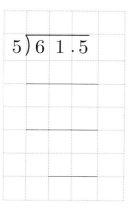

```
5)6 1.5
```

## 계산력 강화하기

정확하게 풀어보아요

 **(07~18) 계산을 하세요.**

**07**

$$3\overline{)22.2}$$

**08**

$$4\overline{)8.4}$$

**09**

$$7\overline{)82.6}$$

**10**

$$9\overline{)60.3}$$

**11**

$$7\overline{)27.3}$$

**12**

$$4\overline{)58.8}$$

**13**

$$8\overline{)14.4}$$

**14**

$$3\overline{)8.4}$$

**15**

$$3\overline{)65.1}$$

**16**

$$8\overline{)67.2}$$

**17**

$$6\overline{)97.8}$$

**18**

$$4\overline{)39.2}$$

3
단
계

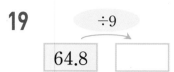

📖 (19~39) 빈칸에 알맞은 수를 써넣으세요.

**19**  ÷9

64.8 □

**20**  ÷7

17.5 □

**21**  ÷8

25.6 □

**22**  ÷4

11.6 □

**23**  ÷6

7.8 □

**24**  ÷3

73.5 □

**25**  ÷5

115.5 □

**26**  ÷6

21.6 □

**27**  ÷9

73.8 □

**28**  ÷7

48.3 □

**29**  ÷3

82.8 □

**30**  ÷4

34.4 □

**31**  ÷6

70.2 □

**32**  ÷8

97.6 □

**33**  ÷9

56.7 □

**34**  ÷6

213.6 □

**35**  ÷6

75.6 □

**36**  ÷4

93.6 □

**37**  ÷8

302.4 □

**38**  ÷5

718.5 □

**39**  ÷8

99.2 □

# 서술형 풀어보기

**40** 모둠원 7명이 같은 길이의 리본을 내서, 전체 길이가 93.1 cm인 리본을 만들었습니다. 1명이 몇 cm의 리본을 냈을까요? (단, 리본은 나란히 이어서 줄어든 길이가 없습니다.)

（풀이과정）

(1) 리본의 전체 길이는 [  ] cm입니다.

(2) 모둠원은 [  ] 명입니다.

$$93.1 \xrightarrow{\div 7} \boxed{\phantom{xx}}$$

(3) 1명이 낸 리본의 길이는 [  ] ÷ [  ] = [  ] cm입니다.

💡 **(41~44) 풀이과정을 쓰고 답을 구하세요.**

**41** 가로 3 cm, 세로 2 m인 직사각형 모양의 바닥을 닦는데 세제가 74.4 mL 사용되었습니다. 1 m²의 바닥을 닦는데 쓰인 세제는 몇 mL일까요? (단, 세제는 똑같이 나누어 사용되었습니다.)

풀이 _____

답 _____ mL

**43** 연필 1타의 무게는 79.2 g입니다. 1타에 12자루가 들어 있을 때, 연필 한 자루의 무게는 몇 g일까요?

풀이 _____

답 _____ g

**42** 밀가루 62.3 kg을 7명이 똑같이 나누어 빵을 만들려고 합니다. 1명이 몇 kg의 밀가루를 가져갈까요?

풀이 _____

답 _____ kg

**44** 길이가 56.1 cm인 가래떡을 11명이 똑같이 나누어 먹으려고 합니다. 1명이 몇 cm의 가래떡을 먹게 될까요?

풀이 _____

답 _____ cm

👍 **연마 Check** 칭찬이나 노력할 점을 써 주세요.

| 맞힌 개수 | 지도 의견 | | 확인란 |
|---|---|---|---|
| 개 | 나의 생각 | | |

# (소수)÷(자연수)④

방법① 자연수의 나눗셈을 이용하기

$856÷4=214$ → $8.56÷4=2.14$

$\frac{1}{100}$

$\frac{1}{100}$

방법② 분수의 나눗셈으로 계산하기

$8.56÷4=\dfrac{856}{100}÷4=\dfrac{856}{100}×\dfrac{1}{4}=\dfrac{214}{100}=2.14$

방법③ 세로로 계산하기

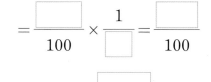

## ⏳ (01~09) 빈칸에 알맞은 수를 써넣으세요.

**01** $741÷3=$ ☐

→ $7.41÷3=$ ☐

**04** $1065÷5=$ ☐

→ $10.65÷5=$ ☐

**07** $1806÷7=$ ☐

→ $18.06÷7=$ ☐

**02** $19.44÷6=\dfrac{☐}{100}÷6$

$=\dfrac{☐}{100}×\dfrac{1}{☐}=\dfrac{☐}{100}$

$=$ ☐

**05** $25.36÷8=\dfrac{☐}{100}÷8$

$=\dfrac{☐}{100}×\dfrac{1}{☐}=\dfrac{☐}{100}$

$=$ ☐

**08** $3.18÷2=\dfrac{☐}{100}÷2$

$=\dfrac{☐}{100}×\dfrac{1}{☐}=\dfrac{☐}{100}$

$=$ ☐

**03**

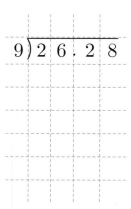

**06**

**09**

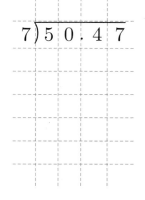

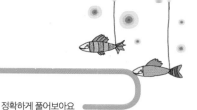

 **(10~15)** 방법① 로 계산을 하세요.

**10**  22.05÷7

**12**  5.36÷2

**14**  27.6÷8

**11**  5.64÷4

**13**  35.34÷6

**15**  53.67÷3

 **(16~21)** 방법② 로 계산을 하세요.

**16**  71.85÷5

**18**  37.92÷4

**20**  44.24÷7

**17**  11.55÷5

**19**  25.42÷2

**21**  61.85÷5

 **(22~27)** 방법③ 으로 계산을 하세요.

**22**  48.15÷9

**24**  30.24÷8

**26**  14.52÷6

**23**  79.71÷3

**25**  4.52÷4

**27**  19.81÷7

# 구조화 하기

구조화 하기를 연습하면 서술형도 쉽게 풀어요

(28~48) 빈칸에 알맞은 수를 써넣으세요.

**28**   ÷5
8.45

**35**   ÷4
5.64

**42**   ÷3
17.64

**29**   ÷4
9.72

**36**   ÷5
28.15

**43**   ÷5
16.85

**30**   ÷7
8.26

**37**   ÷6
19.86

**44**   ÷6
38.82

**31**   ÷8
37.68

**38**   ÷8
23.52

**45**   ÷8
25.36

**32**   ÷6
57.96

**39**   ÷3
25.26

**46**   ÷4
30.12

**33**   ÷9
33.75

**40**   ÷7
8.96

**47**   ÷7
9.31

**34**   ÷6
47.34

**41**   ÷2
5.88

**48**   ÷2
7.28

# 서술형 풀어보기

구조화 해서 풀어보아요

**49** 수박 6.9 kg과 멜론 2.86 kg을 적당히 섞어 8개의 도시락통에 똑같이 넣으려고 합니다. 과일 도시락 1개에 들어가는 수박과 멜론의 무게의 합은 몇 kg일까요?

(풀이과정)

(1) 과일의 무게는 모두 ☐ + ☐ = ☐ kg입니다.

(2) 만들 과일도시락은 모두 ☐ 개 입니다.

(3) 과일도시락 1개의 무게는 ☐ ÷ ☐ = ☐ kg입니다.

÷8

| 9.76 | → | ☐ |

💡 **(50~53) 풀이과정을 쓰고 답을 구하세요.**

**50** 둘레가 7.14 cm인 정삼각형의 한 변의 길이는 몇 cm일까요?

풀이 _____

답 _____ cm

**51** 7.44 L의 등유를 6일 동안 똑같이 나누어 사용해야 합니다. 1일 동안 사용할 수 있는 등유의 양은 몇 L일까요?

풀이 _____

답 _____ L

**52** 리본 9.28 m를 똑같이 나누어 8개의 선물상자를 포장했습니다. 1상자에 사용한 리본의 길이는 몇 m일까요?

풀이 _____

답 _____ m

**53** 넓이가 4.76 cm²인 직사각형 가로의 길이가 4 cm일 때, 세로의 길이는 몇 cm일까요?

풀이 _____

답 _____ cm

✋ **연마 Check** 칭찬이나 노력할 점을 써 주세요.

| 맞힌 개수 | 지도 의견 | | 확인란 |
|---|---|---|---|
| 개 | 나의 생각 | | |

## (소수)÷(자연수)의 몫이 1보다 작은 경우 ①

월    일

**방법 ①** 자연수의 나눗셈 이용하기

$$441 \div 7 = 63 \quad\rightarrow\quad 4.41 \div 7 = 0.63$$

($\frac{1}{100}$ 배)

**방법 ②** 분수의 나눗셈으로 계산하기

$$4.41 \div 7 = \frac{441}{100} \div 7 = \frac{441}{100} \times \frac{1}{7} = \frac{63}{100} = 0.63$$

약분

🐝 **핵심포인트**

• (소수) ÷ (자연수)에서
소수 < 자연수이면 몫은 1보다 작습니다.

⏳ **(01~09) 빈칸에 알맞은 수를 써넣으세요.**

**01** $32 \div 4 = \boxed{\phantom{00}}$

→ $3.2 \div 4 = \boxed{\phantom{00}}$

**04** $522 \div 6 = \boxed{\phantom{00}}$

→ $5.22 \div 6 = \boxed{\phantom{00}}$

**07** $672 \div 7 = \boxed{\phantom{00}}$

→ $6.72 \div 7 = \boxed{\phantom{00}}$

**02** $228 \div 3 = \boxed{\phantom{00}}$

→ $2.28 \div 3 = \boxed{\phantom{00}}$

**05** $738 \div 9 = \boxed{\phantom{00}}$

→ $7.38 \div 9 = \boxed{\phantom{00}}$

**08** $256 \div 8 = \boxed{\phantom{00}}$

→ $2.56 \div 8 = \boxed{\phantom{00}}$

**03** $5.4 \div 9 = \dfrac{\boxed{\phantom{0}}}{10} \div 9$

$= \dfrac{\boxed{\phantom{0}} \div \boxed{\phantom{0}}}{10} = \dfrac{\boxed{\phantom{0}}}{10}$

$= \boxed{\phantom{0}}$

**06** $3.44 \div 8 = \dfrac{\boxed{\phantom{0}}}{10} \div 8$

$= \dfrac{\boxed{\phantom{0}} \div \boxed{\phantom{0}}}{100} = \dfrac{\boxed{\phantom{0}}}{100}$

$= \boxed{\phantom{0}}$

**09** $1.65 \div 5 = \dfrac{\boxed{\phantom{0}}}{100} \div 5$

$= \dfrac{\boxed{\phantom{0}} \div \boxed{\phantom{0}}}{100} = \dfrac{\boxed{\phantom{0}}}{100}$

$= \boxed{\phantom{0}}$

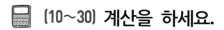 (10~30) 계산을 하세요.

**10** 1.68÷7

**11** 2.16÷9

**12** 7.68÷8

**13** 3.15÷5

**14** 3.72÷4

**15** 1.52÷2

**16** 1.44÷3

**17** 3.68÷4

**18** 1.86÷3

**19** 5.74÷7

**20** 3.42÷6

**21** 3.52÷8

**22** 5.58÷9

**23** 4.35÷5

**24** 0.42÷3

**25** 2.34÷9

**26** 1.75÷7

**27** 7.44÷8

**28** 0.78÷6

**29** 4.75÷5

**30** 0.68÷4

3
단
계

# 구조화 하기

구조화 하기를 연습하면 서술형도 쉽게 풀어요

 **(31~51) (앞의 수)÷(뒤의 수)를 빈칸에 써넣으세요.**

**31**

| 1.84 | 8 |
|------|---|
|      |   |

**32**

| 2.16 | 6 |
|------|---|
|      |   |

**33**

| 5.67 | 9 |
|------|---|
|      |   |

**34**

| 1.92 | 3 |
|------|---|
|      |   |

**35**

| 4.83 | 7 |
|------|---|
|      |   |

**36**

| 1.85 | 5 |
|------|---|
|      |   |

**37**

| 3.72 | 4 |
|------|---|
|      |   |

**38**

| 3.85 | 7 |
|------|---|
|      |   |

**39**

| 0.84 | 2 |
|------|---|
|      |   |

**40**

| 2.24 | 8 |
|------|---|
|      |   |

**41**

| 3.55 | 5 |
|------|---|
|      |   |

**42**

| 1.26 | 9 |
|------|---|
|      |   |

**43**

| 1.38 | 6 |
|------|---|
|      |   |

**44**

| 3.84 | 4 |
|------|---|
|      |   |

**45**

| 1.16 | 4 |
|------|---|
|      |   |

**46**

| 4.27 | 7 |
|------|---|
|      |   |

**47**

| 5.16 | 6 |
|------|---|
|      |   |

**48**

| 3.96 | 4 |
|------|---|
|      |   |

**49**

| 4.95 | 5 |
|------|---|
|      |   |

**50**

| 1.84 | 8 |
|------|---|
|      |   |

**51**

| 6.48 | 9 |
|------|---|
|      |   |

# 서술형 풀어보기

구조화 해서 풀어보아요

**52** 직사각형 모양의 색테이프의 넓이가 1.68 cm²입니다. 가로의 길이가 6 cm일 때, 세로의 길이는 몇 cm일까요?

( 풀이과정 )

(1) 색테이프의 넓이는 [     ] cm²입니다.

(2) 가로의 길이는 [     ] cm입니다.

(3) 세로의 길이는 [     ] ÷ [     ] = [     ] cm입니다.

| 1.68 | 6 |
|---|---|
|  |  |

**(53~56) 풀이과정을 쓰고 답을 구하세요.**

**53** 설탕 6.44 kg을 7모둠에 똑같이 나누어 주려고 할 때, 한 모둠이 가질 수 있는 설탕은 몇 kg일까요?

풀이

답 _____ kg

**55** 둘레가 3.48 cm인 정사각형이 있습니다. 정사각형 한 변의 길이는 몇 cm일까요?

풀이

답 _____ cm

**54** 어떤 수에 7을 곱했더니 3.92가 되었습니다. 어떤 수를 구하세요.

풀이

답 _____

**56** 똑같은 졸업앨범이 7권 있습니다. 7권의 졸업앨범 총 무게가 6.86 kg일 때, 졸업 앨범 1권의 무게는 몇 kg일까요?

풀이

답 _____ kg

**연마 Check** 칭찬이나 노력할 점을 써 주세요.

| 맞힌 개수 | 지도 의견 |  | 확인란 |
|---|---|---|---|
| 개 | 나의 생각 |  |  |

# (소수)÷(자연수)의 몫이 1보다 작은 경우②

월     일

방법③ 세로로 계산하기

```
      0.6 3
  7 )4.4 1
      4 2
        2 1
        2 1
          0
```

→ 나눌 수가 나누는 수보다 작은 경우 몫은 1보다 작습니다. 그러므로 몫의 일의 자리에 0을 쓰고 소수점을 찍은 다음 자연수의 나눗셈과 같은 방법으로 계산합니다.

 핵심포인트

· (소수) ÷ (자연수)에서 소수 < 자연수이면 몫은 1보다 작습니다.

⌛ (01~06) 계산을 하세요.

**01**
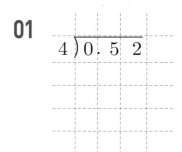

```
  4 )0.5 2
```

**03**

```
  5 )0.9 5
```

**05**

```
  8 )5.4 4
```

**02**
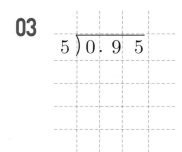

```
  9 )6.7 5
```

**04**

```
  4 )3.4 8
```

**06**
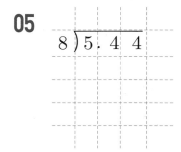

```
  7 )2.5 2
```

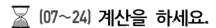

**(07~24) 계산을 하세요.**

**07**

$6 \overline{)5.88}$

**08**

$4 \overline{)3.76}$

**09**

$2 \overline{)1.54}$

**10**

$3 \overline{)1.95}$

**11**

$9 \overline{)7.74}$

**12**

$6 \overline{)2.88}$

**13**

$3 \overline{)2.13}$

**14**

$9 \overline{)7.29}$

**15**

$4 \overline{)3.04}$

**16**

$8 \overline{)5.04}$

**17**

$4 \overline{)2.52}$

**18**

$7 \overline{)4.48}$

**19**

$12 \overline{)7.2}$

**20**

$7 \overline{)6.93}$

**21**

$6 \overline{)3.24}$

**22**

$7 \overline{)6.23}$

**23**

$8 \overline{)4.16}$

**24**

$3 \overline{)1.56}$

(소수)÷(자연수)의 몫이 1보다 작은 경우② **73**

**(25~45) 빈칸에 알맞은 수를 써넣으세요.**

25   6.64   ÷8   □

26   2.59   ÷7   □

27   0.96   ÷6   □

28   3.85   ÷5   □

29   2.19   ÷3   □

30   5.76   ÷9   □

31   0.76   ÷2   □

32   1.78   ÷2   □

33   1.62   ÷3   □

34   6.48   ÷9   □

35   4.34   ÷7   □

36   2.34   ÷6   □

37   2.08   ÷4   □

38   7.12   ÷8   □

39   3.99   ÷7   □

40   8.46   ÷9   □

41   4.55   ÷5   □

42   1.36   ÷4   □

43   2.32   ÷8   □

44   1.72   ÷2   □

45   3.24   ÷6   □

## 서술형 풀어보기

구조화 해서 풀어보아요

**46** 콜라 4.05 L를 컵 9개에 똑같이 나누어 담으려고 합니다. 컵 한 개에 담을 콜라는 몇 L일까요?

**풀이과정**

(1) 콜라는 모두 [　　　] L가 있습니다.

(2) 나눠 담을 컵의 개수는 [　　] 개입니다.

(3) 컵 한 개에 담을 콜라의 양은 [　　] ÷ [　　] = [　　] L입니다.

[ 40.5 ] ( ÷9 ) ─ [　　　]

💡 **(47~50) 풀이과정을 쓰고 답을 구하세요.**

**47** 넓이가 5.94 cm²인 직사각형 모양의 얼음틀로 얼음을 만들려고 합니다. 6개의 똑같은 얼음을 만들려고 할 때, 얼음틀 1칸의 넓이는 몇 cm²일까요? (단, 칸의 두께는 무시합니다.)

풀이 _____

답 _____ cm²

**48** 가로가 3 m, 세로가 4 m인 직사각형 모양의 벽을 페인트 10.8 L를 사용하여 칠했다고 할 때, 1 m² 면적을 칠하는데 사용한 페인트는 몇 L일까요?

풀이 _____

답 _____ L

**49** 막대기 8개를 나란히 길게 이었더니, 그 길이의 합은 3.12 m였습니다. 막대기 한 개의 길이는 몇 m일까요?

풀이 _____

답 _____ m

**50** 어떤 수에 8을 곱했더니 6.96이 되었습니다. 어떤 수는 몇일까요?

풀이 _____

답 _____

✋ **연마 Check** 칭찬이나 노력할 점을 써 주세요.

| 맞힌 개수 | 지도 의견 | | 확인란 |
|---|---|---|---|
| 개 | 나의 생각 | | |

# (소수)÷(자연수)가 나누어떨어지지 않는 경우 ①   월 일

● 5.8÷4의 계산

**방법 ①** 분수의 나눗셈으로 계산하기

$$5.8÷4 = \frac{580}{100} ÷ 4 = \frac{580}{100} × \frac{1}{4} = \frac{145}{100} = 1.45$$

[다른 풀이과정]

$$5.8÷4 = \frac{58}{10} ÷ 4 = \frac{58}{10} × \frac{1}{4} = \frac{29}{20} = \frac{145}{100} = 1.45$$

**방법 ②** 자연수의 나눗셈 이용하기

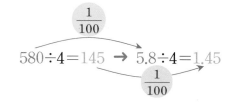

$$580÷4 = 145 \rightarrow 5.8÷4 = 1.45$$

⏳ **(01~09) 빈칸에 알맞은 수를 써넣으세요.**

**01** 870÷6 = ☐

→ 8.7÷6 = ☐

**04** 260÷4 = ☐

→ 2.6÷4 = ☐

**07** 450÷2 = ☐

→ 4.5÷2 = ☐

**02** 360÷8 = ☐

→ 3.6÷8 = ☐

**05** 1140÷5 = ☐

→ 11.4÷5 = ☐

**08** 2070÷5 = ☐

→ 20.7÷5 = ☐

**03** $9.4÷5 = \frac{☐}{100} ÷ 5$

$= \frac{☐÷☐}{100} = \frac{☐}{100}$

$= ☐$

**06** $7.5÷6 = \frac{☐}{100} ÷ 6$

$= \frac{☐÷☐}{100} = \frac{☐}{100}$

$= ☐$

**09** $6.7÷5 = \frac{☐}{100} ÷ 5$

$= \frac{☐÷☐}{100} = \frac{☐}{100}$

$= ☐$

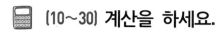

**(10~30) 계산을 하세요.**

**10** 3.7÷2

**11** 12.6÷5

**12** 19.5÷6

**13** 6.6÷4

**14** 20.4÷8

**15** 2.5÷2

**16** 1.5÷6

**17** 8.1÷6

**18** 54.6÷4

**19** 4.7÷2

**20** 37.2÷8

**21** 9.6÷5

**22** 20.7÷6

**23** 13.8÷4

**24** 5.8÷4

**25** 4.5÷6

**26** 13.7÷5

**27** 6.7÷2

**28** 5.4÷4

**29** 25.2÷8

**30** 8.7÷5

# 구조화 하기

구조화 하기를 연습하면 서술형도 쉽게 풀어요

📖 (31~51) 빈칸에 알맞은 수를 써넣으세요.

**31** 6.6 ÷4 ⬜

**32** 8.2 ÷5 ⬜

**33** 3.9 ÷6 ⬜

**34** 12.4 ÷8 ⬜

**35** 6.5 ÷2 ⬜

**36** 17.6 ÷5 ⬜

**37** 15.8 ÷4 ⬜

**38** 9.1 ÷5 ⬜

**39** 3.9 ÷6 ⬜

**40** 14.8 ÷8 ⬜

**41** 5.4 ÷4 ⬜

**42** 14.7 ÷6 ⬜

**43** 16.2 ÷5 ⬜

**44** 17.4 ÷4 ⬜

**45** 1.5 ÷6 ⬜

**46** 9.7 ÷5 ⬜

**47** 9.4 ÷4 ⬜

**48** 27.3 ÷6 ⬜

**49** 34.8 ÷8 ⬜

**50** 21.6 ÷5 ⬜

**51** 2.1 ÷6 ⬜

**52** 넓이가 8.6 m²인 직사각형 모양의 텃밭이 있습니다. 세로의 길이가 5 m라고 할 때, 가로의 길이는 몇 m일까요?

풀이과정

(1) 텃밭의 넓이는 ☐ m²입니다.

(2) 세로의 길이는 ☐ m입니다.

(3) 직사각형의 넓이를 이용하면 가로의 길이는 ☐ ÷ ☐ = ☐ m입니다.

$$8.6 \quad \div 5 \quad \boxed{\phantom{00}}$$

💡 **(53~56) 풀이과정을 쓰고 답을 구하세요.**

**53** 이웃돕기로 모은 쌀의 무게가 42.3 kg입니다. 18명의 이웃에게 똑같이 나누어 주려고 할 때, 1명에게 주는 쌀의 무게는 몇 kg일까요?

풀이 _____

답 _____ kg

**55** 색테이프 1.9 m를 친구 1명과 내가 똑같이 나누려고 합니다. 친구에게 줄 수 있는 색테이프는 몇 m일까요?

풀이 _____

답 _____ m

**54** 선생님이 오렌지 주스 10.8 L를 8명에게 똑같이 나누어 주려고 합니다. 한 명에게 줄 수 있는 오렌지 주스는 몇 L일까요?

풀이 _____

답 _____ L

**56** 정육점에서 돼지고기 8.6 kg을 5팩으로 똑같이 나누어 팔려고 합니다. 1팩에 들어갈 돼지고기의 무게는 몇 kg일까요?

풀이 _____

답 _____ kg

👍 **연마** *Check* 칭찬이나 노력할 점을 써 주세요.

| 맞힌 개수 | 지도 의견 | | 확인란 |
|---|---|---|---|
| 개 | 나의 생각 | | |

## (소수)÷(자연수)가 나누어떨어지지 않는 경우②

**방법③** 세로로 계산하기

```
      1. 4 5
   4)5. 8
     4
     1 8
     1 6
        2 0
        2 0
           0
```

2를 4로 나눌 수 없어서
2 옆에 0을 내려 계산합니다.

**핵심포인트**

· 나누어떨어지지 않는 경우 나뉠 수의
오른쪽 끝자리에 0을 계속 내려 계산합
니다.

**(01~06) 빈칸에 알맞은 수를 써넣으세요.**

**01**
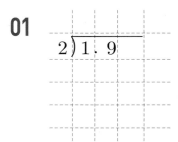
```
2)1. 9
```

**03**
```
8)7. 6
```

**05**
```
2)1. 9
```

**02**
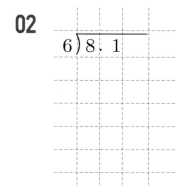
```
6)8. 1
```

**04**
```
6)4 6. 5
```

**06**

```
5)1 6. 7
```

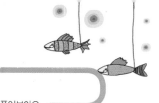
**(07~24) 계산을 하세요.**

**07**
$5\overline{)7.4}$

**08**
$4\overline{)2.6}$

**09**
$2\overline{)8.9}$

**10**
$5\overline{)12.3}$

**11**
$8\overline{)7.6}$

**12**
$6\overline{)2.1}$

**13**
$5\overline{)6.9}$

**14**
$6\overline{)0.9}$

**15**
$2\overline{)8.3}$

**16**
$5\overline{)0.8}$

**17**
$8\overline{)5.2}$

**18**
$4\overline{)25.4}$

**19**
$5\overline{)4.8}$

**20**
$4\overline{)6.2}$

**21**
$2\overline{)7.5}$

**22**
$6\overline{)2.7}$

**23**
$4\overline{)18.6}$

**24**
$5\overline{)11.1}$

# 구조화 하기

(25~45) 빈칸에 알맞은 수를 써넣으세요.

**25** 1.8 ÷4 ▢

**26** 1.3 ÷5 ▢

**27** 5.1 ÷6 ▢

**28** 3.1 ÷2 ▢

**29** 1.2 ÷8 ▢

**30** 21.9 ÷6 ▢

**31** 5.8 ÷5 ▢

**32** 3.5 ÷2 ▢

**33** 42.8 ÷8 ▢

**34** 35.8 ÷4 ▢

**35** 10.5 ÷6 ▢

**36** 2.3 ÷5 ▢

**37** 7.8 ÷4 ▢

**38** 3.6 ÷8 ▢

**39** 3.8 ÷4 ▢

**40** 2.7 ÷2 ▢

**41** 32.6 ÷4 ▢

**42** 32.7 ÷6 ▢

**43** 18.8 ÷8 ▢

**44** 9.4 ÷4 ▢

**45** 31.4 ÷5 ▢

## 서술형 풀어보기

**46** 정육각형의 둘레가 6.9 cm일 때, 한 변의 길이는 몇 cm일까요?

( 풀이과정 )

(1) 정육각형의 둘레는 [ ] cm입니다.

(2) 정육각형은 [ ] 변으로 이루어졌습니다.

$$6.9 \quad \div 6 \quad \boxed{\phantom{0}}$$

(3) 정육각형 한 변의 길이는 [ ] ÷ [ ] = [ ] cm입니다.

💡 (47~50) **풀이과정을 쓰고 답을 구하세요.**

**47** 5켤레의 똑같은 털부츠의 무게가 8.8 kg 이라고 할 때, 털부츠 1켤레의 무게는 몇 kg일까요?

풀이 _____

답 _____ kg

**49** 22.6 m의 도로에 4구간으로 똑같이 나누어 가로등을 설치했습니다. 설치된 가로등 사이의 거리는 몇 m일까요? (단, 가로등의 두께는 생각하지 않습니다.)

풀이 _____

답 _____ m

**48** 높이가 1.3 m인 포스터를 반으로 접어서 보관하려고 합니다. 반으로 접힌 길이는 몇 m일까요?

풀이 _____

답 _____ m

**50** 8권의 똑같은 영어사전의 무게가 19.6 kg 일 때, 영어사전 한 권의 무게는 몇 kg 일까요?

풀이 _____

답 _____ kg

👍 연마 *Check*   칭찬이나 노력할 점을 써 주세요.

| 맞힌 개수 | 지도 의견 | | 확인란 |
|---|---|---|---|
| 개 | 나의 생각 | | |

나 단계

## 몫의 소수 첫째 자리에 0이 있는 경우①

월    일

● 6.3÷6의 계산

방법① 분수의 나눗셈으로 계산하기

$$6.3÷6=\frac{630}{100}÷6=\frac{630}{100}×\frac{1}{6}=\frac{105}{100}=1.05$$

[다른 풀이과정]

$$6.3÷6=\frac{63}{10}÷6=\frac{63}{10}×\frac{1}{\overset{}{\underset{2}{6}}}=\frac{21}{20}=\frac{105}{100}=1.05$$

방법② 자연수의 나눗셈 이용하기

$$630÷6=105 \quad→\quad 6.30÷6=1.05$$

(위: $\frac{1}{100}$, 아래: $\frac{1}{100}$)

⏳ (01~09) 계산을 하세요.

**01**  $614÷2=\boxed{\phantom{000}}$

→ $6.14÷2=\boxed{\phantom{000}}$

**04**  $324÷3=\boxed{\phantom{000}}$

→ $3.24÷3=\boxed{\phantom{000}}$

**07**  $520÷5=\boxed{\phantom{000}}$

→ $5.2÷5=\boxed{\phantom{000}}$

**02**  $840÷8=\boxed{\phantom{000}}$

→ $8.4÷8=\boxed{\phantom{000}}$

**05**  $1830÷6=\boxed{\phantom{000}}$

→ $18.3÷6=\boxed{\phantom{000}}$

**08**  $1435÷7=\boxed{\phantom{000}}$

→ $14.35÷7=\boxed{\phantom{000}}$

**03**  $16.2÷4=\dfrac{\boxed{\phantom{00}}}{100}÷4$

$=\dfrac{\boxed{\phantom{0}}÷\boxed{\phantom{0}}}{100}=\dfrac{\boxed{\phantom{0}}}{100}$

$=\boxed{\phantom{000}}$

**06**  $8.1÷2=\dfrac{\boxed{\phantom{00}}}{100}÷2$

$=\dfrac{\boxed{\phantom{0}}÷\boxed{\phantom{0}}}{100}=\dfrac{\boxed{\phantom{0}}}{100}$

$=\boxed{\phantom{000}}$

**09**  $10.1÷5=\dfrac{\boxed{\phantom{00}}}{100}÷5$

$=\dfrac{\boxed{\phantom{0}}÷\boxed{\phantom{0}}}{100}=\dfrac{\boxed{\phantom{0}}}{100}$

$=\boxed{\phantom{000}}$

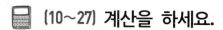 (10~27) 계산을 하세요.

**10** 8.2÷4

**11** 6.12÷6

**12** 5.4÷5

**13** 7.21÷7

**14** 24.4÷8

**15** 6.1÷2

**16** 3.24÷3

**17** 54.3÷6

**18** 10.2÷5

**19** 64.4÷8

**20** 4.2÷4

**21** 60.4÷5

**22** 5.1÷5

**23** 8.12÷4

**24** 9.21÷3

**25** 40.4÷8

**26** 36.2÷4

**27** 12.3÷6

# 구조화 하기

구조화 하기를 연습하면 서술형도 쉽게 풀어요

〔28~48〕 빈칸에 알맞은 수를 써넣으세요.

**28** 7.28 ÷7 ☐

**29** 30.3 ÷6 ☐

**30** 25.2 ÷5 ☐

**31** 4.36 ÷4 ☐

**32** 14.56 ÷7 ☐

**33** 18.1 ÷2 ☐

**34** 40.3 ÷5 ☐

**35** 5.3 ÷5 ☐

**36** 54.3 ÷6 ☐

**37** 18.27 ÷3 ☐

**38** 24.4 ÷8 ☐

**39** 42.35 ÷7 ☐

**40** 4.1 ÷2 ☐

**41** 45.81 ÷9 ☐

**42** 24.16 ÷8 ☐

**43** 6.18 ÷6 ☐

**44** 10.3 ÷5 ☐

**45** 42.56 ÷7 ☐

**46** 40.4 ÷8 ☐

**47** 24.2 ÷4 ☐

**48** 20.2 ÷5 ☐

**49** 12.2 km 마라톤 경기대회에서 4구간으로 거리의 길이를 똑같이 나누려고 합니다. 한 구간의 거리는 몇 km일까요?

풀이과정

(1) 마라톤 경기 완주거리는 ☐ km입니다.

(2) 시작점에서 완주지점까지 ☐ 구간으로 나누려고 합니다.

(3) 한 구간의 거리는 ☐ ÷ ☐ = ☐ km입니다.

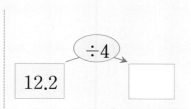

💡 **(50~53) 풀이과정을 쓰고 답을 구하세요.**

**50** 솜뭉치 84.6 g을 12모둠에게 똑같이 나누어 주려고 합니다. 한 모둠이 가질 솜뭉치는 몇 g일까요?

풀이 _____

답 _____ g

**52** 꽃가게에서 리본 40.1 m를 똑같이 나누어 5개의 꽃다발을 포장하려고 합니다. 꽃다발 한 개를 포장하는데 사용할 리본은 몇 m일까요?

풀이 _____

답 _____ m

**51** 딸기주스 6.3 L를 6명에게 똑같이 나누어 주려고 합니다. 1명이 마실 수 있는 딸기주스는 몇 L일까요?

풀이 _____

답 _____ L

**53** 수조에 받아둔 108.54 L의 바닷물을 9개의 어항으로 똑같이 나누려고 합니다. 어항 1개에 들어가는 바닷물은 몇 L일까요?

풀이 _____

답 _____ L

🖐 연마 *Check*   칭찬이나 노력할 점을 써 주세요.

| 맞힌 개수 | 지도 의견 | | 확인란 |
|---|---|---|---|
| 개 | 나의 생각 | | |

# 몫의 소수 첫째 자리에 0이 있는 경우②

 월    일

● 6.3÷6의 계산

**방법③** 세로로 계산하기

```
      1.05
   6)6.3
      6
      30
      30
       0
```

→ 소수 첫째 자리 계산에서 나눌 수 없으므로 몫의 자리에 0을 쓰고 다음 자리의 수를 내려 계산합니다.

**핵심포인트**

• 세로로 계산하기 중 나뉠 수가 나누는 수보다 작을 경우에는 몫에 0을 쓰고 0을 하나 더 내려 계산합니다.

⏳ (01~06) 계산을 하세요.

**01**
```
3)3.12
```

**02**
```
3)6.15
```

**03**
```
6)0.3
```

**04**
```
4)12.2
```

**05**
```
4)4.28
```

**06**
```
9)9.72
```

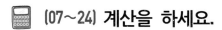 **(07~24) 계산을 하세요.**

**07**

$4\overline{)20.08}$

**08**

$2\overline{)4.16}$

**09**

$3\overline{)9.18}$

**10**

$4\overline{)4.24}$

**11**

$7\overline{)7.21}$

**12**

$8\overline{)32.4}$

**13**

$8\overline{)8.56}$

**14**

$9\overline{)9.45}$

**15**

$3\overline{)6.21}$

**16**

$4\overline{)8.32}$

**17**

$6\overline{)12.24}$

**18**

$5\overline{)35.1}$

**19**

$6\overline{)54.3}$

**20**

$3\overline{)3.18}$

**21**

$7\overline{)7.49}$

**22**

$5\overline{)5.1}$

**23**

$8\overline{)8.24}$

**24**

$5\overline{)5.25}$

# 구조화 하기

구조화 하기를 연습하면 서술형도 쉽게 풀어요

📖 (25~45) 빈칸에 알맞은 수를 써넣으세요.

**25** 20.12 ÷4 ☐

**26** 10.35 ÷5 ☐

**27** 28.28 ÷7 ☐

**28** 4.12 ÷2 ☐

**29** 30.48 ÷6 ☐

**30** 18.24 ÷3 ☐

**31** 9.27 ÷9 ☐

**32** 0.15 ÷3 ☐

**33** 4.1 ÷2 ☐

**34** 7.14 ÷7 ☐

**35** 45.4 ÷5 ☐

**36** 64.72 ÷8 ☐

**37** 24.12 ÷6 ☐

**38** 24.36 ÷4 ☐

**39** 8.32 ÷8 ☐

**40** 6.18 ÷6 ☐

**41** 2.14 ÷2 ☐

**42** 16.2 ÷4 ☐

**43** 25.05 ÷5 ☐

**44** 14.63 ÷7 ☐

**45** 27.72 ÷9 ☐

# 서술형 풀어보기

**46** 전체 넓이가 50.9 m²인 독서실을 10구역으로 면적을 똑같이 나누어 책상을 설치하려고 합니다. 하나의 구역의 넓이는 몇 m²일까요?

풀이과정

(1) 독서실의 전체 넓이는 ☐ m²입니다.

(2) ☐ 개의 구역으로 똑같이 나누려고 합니다.

(3) 하나의 구역의 넓이는 ☐ ÷ ☐ = ☐ m²입니다.

$$50.9 \quad ÷10 \quad \boxed{\phantom{x}}$$

💡 **(47~50) 풀이과정을 쓰고 답을 구하세요.**

**47** 다음 중 가장 큰 수를 가장 작은 수로 나누세요.

| | | |
|---|---|---|
| 5.22 | 3.14 | 12.1 |
| 2 | 2.1 | |

풀이 _____

답 _____

**48** 밀가루 54.24 kg을 6개의 빵가게에 똑같이 나누어 보내려고 합니다. 한 개의 빵가게에 보낼 밀가루는 몇 kg일까요?

풀이 _____

답 _____ kg

**49** 다음의 계산 결과를 비교하여 몫이 큰 수의 기호를 쓰세요.

| ㉠ 16.64 ÷ 8 | ㉡ 4.18 ÷ 2 |
|---|---|

풀이 _____

답 _____

**50** 한 변의 길이가 같은 정사각형과 정오각형의 변의 길이를 모두 더했더니 36.18 cm였습니다. 정사각형 한 변의 길이는 몇 cm일까요?

풀이 _____

답 _____ cm

🖐 **연마 Check** 칭찬이나 노력할 점을 써 주세요.

| 맞힌 개수 | 지도 의견 | | 확인란 |
|---|---|---|---|
| 개 | 나의 생각 | | |

# (자연수)÷(자연수)의 몫을 소수로 나타내기

월        일

● 5÷2의 계산

방법 ① 자연수의 나눗셈 이용하기

$\dfrac{1}{10}$

$50÷2=25$ → $5÷2=2.5$

$\dfrac{1}{10}$

방법 ② 분수의 나눗셈으로 계산하기

$5÷2=\dfrac{5}{2}=\dfrac{25}{10}=2.5$

방법 ③ 세로로 계산하기

```
      2 . 5
  2 ) 5
      4
      1 0
      1 0
        0
```

→ 몫의 소수점은 자연수 바로 뒤에서 올려서 찍습니다.

⌛ (01~09) 빈칸에 알맞은 수를 써넣으세요.

**01**  $30÷5=$ ☐

  $3÷5=$ ☐

**04**  $1800÷8=$ ☐

  $18÷8=$ ☐

**07**  $700÷4=$ ☐

  $7÷4=$ ☐

**02**  $9÷6=\dfrac{☐}{☐}=\dfrac{☐}{10}$

  $=$ ☐

**05**  $14÷4=\dfrac{☐}{☐}=\dfrac{☐}{10}$

  $=$ ☐

**08**  $12÷5=\dfrac{☐}{☐}=\dfrac{☐}{10}$

  $=$ ☐

**03**
```
  5 ) 7
```

**06**
```
  8 ) 1 2
```

**09**
```
  10 ) 1 0 1
```

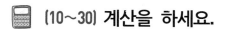 (10~30) 계산을 하세요.

**10** $11 \div 4$

**11** $14 \div 8$

**12** $17 \div 2$

**13** $195 \div 6$

**14** $27 \div 5$

**15** $3 \div 4$

**16** $14 \div 8$

**17** $27 \div 12$

**18** $7 \div 2$

**19** $21 \div 6$

**20** $30 \div 8$

**21** $6 \div 5$

**22** $12 \div 16$

**23** $25 \div 4$

**24** $16 \div 25$

**25** $9 \div 4$

**26** $22 \div 8$

**27** $13 \div 4$

**28** $4 \div 25$

**29** $42 \div 15$

**30** $42 \div 12$

(31~51) 빈칸에 알맞은 수를 써넣으세요.

**31** ÷4
7 □

**38** ÷8
18 □

**45** ÷5
11 □

**32** ÷4
17 □

**39** ÷20
13 □

**46** ÷8
36 □

**33** ÷12
9 □

**40** ÷22
33 □

**47** ÷4
10 □

**34** ÷15
6 □

**41** ÷8
22 □

**48** ÷25
12 □

**35** ÷8
20 □

**42** ÷8
6 □

**49** ÷24
30 □

**36** ÷2
15 □

**43** ÷4
13 □

**50** ÷20
19 □

**37** ÷16
24 □

**44** ÷12
21 □

**51** ÷16
52 □

# 서술형 풀어보기

구조화 해서 풀어보아요

**52** 찰흙 2 kg을 8명이 똑같이 나누어 가지려고 합니다. 한 명이 가질 찰흙은 몇 kg일까요?

(풀이과정)

(1) 찰흙의 총 무게는 ☐ kg입니다.

(2) 사람은 모두 ☐ 명입니다.

(3) 한 명이 갖는 찰흙은 ☐ ÷ ☐ = ☐ kg입니다.

$$\xrightarrow{\div 8}$$

| 2 | ☐ |

💡 **(53~56) 풀이과정을 쓰고 답을 구하세요.**

**53** 47 m의 끈이 있는데 20명이 똑같이 나누려고 합니다. 한 사람이 가져가는 끈은 몇 m일까요?

풀이 _____

답 _____ m

**55** 넓이가 319 m²인 직사각형 모양의 강당의 가로의 길이가 22 m일 때, 세로의 길이는 몇 m일까요?

풀이 _____

답 _____ m

**54** 커피회사에서 커피가루 123 kg을 75개의 병에 똑같이 나누어 담았습니다. 병 한 개에 넣을 커피가루는 몇 kg일까요?

풀이 _____

답 _____ kg

**56** 똑같은 통조림 25개의 무게는 21 kg입니다. 통조림 한 개의 무게는 몇 kg일까요?

풀이 _____

답 _____ kg

✋ 연마 Check  칭찬이나 노력할 점을 써 주세요.

| 맞힌 개수 | 지도 의견 | | 확인란 |
|---|---|---|---|
| 개 | 나의 생각 | | |

# 22 일차

## 어림셈하여 몫의 소수점 찍기

 월    일

● 5.91 ÷ 3을 어림하여 계산하기

→ 5.91을 반올림하여 일의 자리까지 나타내면 6으로 어림할 수 있습니다.

→ 어림셈하여 몫의 소수점찍기
나눌 수를 6으로 어림하였으므로 6÷3을 계산하면 2입니다.
5.91÷3의 실제 몫은 1.97입니다.

### 핵심포인트

• 나눗셈에서 몫이 나누어 떨어지지 않을 때에는 반올림, 올림, 버림을 이용하여 몫을 어림하여 답할 수 있습니다.

• 어림셈하여 구한 몫과 가까운 수가 되도록 몫의 소수점의 위치를 찾아 소수점을 찍습니다.

⏳ [01~12] 소수를 반올림하여 일의 자리까지 나타낸 후, 어림한 식으로 나타내어 보세요.

**01** 49.5÷5

→ ☐ ÷ ☐

**02** 23.6÷4

→ ☐ ÷ ☐

**03** 40.4÷8

→ ☐ ÷ ☐

**04** 30.3÷6

→ ☐ ÷ ☐

**05** 35.6÷2

→ ☐ ÷ ☐

**06** 16.42÷8

→ ☐ ÷ ☐

**07** 23.76÷6

→ ☐ ÷ ☐

**08** 20.7÷3

→ ☐ ÷ ☐

**09** 27.3÷9

→ ☐ ÷ ☐

**10** 63.1÷7

→ ☐ ÷ ☐

**11** 53.8÷9

→ ☐ ÷ ☐

**12** 71.9÷8

→ ☐ ÷ ☐

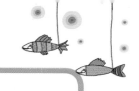

# 계산력 강화하기

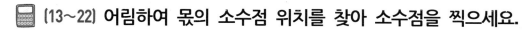

**(13~22) 어림하여 몫의 소수점 위치를 찾아 소수점을 찍으세요.**

**13** 71.4÷7

어림 70÷7 → 약 ☐

몫 1☐0☐2

**18** 36.8÷5

어림 37÷5 → 약 ☐

몫 7☐3☐6

**14** 91.2÷3

어림 90÷3 → 약 ☐

몫 3☐0☐4

**19** 80.91÷9

어림 81÷9 → 약 ☐

몫 8☐9☐9

**15** 17.44÷8

어림 16÷8 → 약 ☐

몫 2☐1☐8

**20** 7.96÷4

어림 8÷4 → 약 ☐

몫 1☐9☐9

**16** 4.76÷4

어림 4÷4 → 약 ☐

몫 1☐1☐9

**21** 49.65÷5

어림 50÷5 → 약 ☐

몫 9☐9☐3

**17** 20.61÷3

어림 21÷3 → 약 ☐

몫 6☐8☐7

**22** 14.28÷7

어림 14÷7 → 약 ☐

몫 2☐0☐4

## 구조화 하기

구조화 하기를 연습하면 서술형도 쉽게 풀어요

(23~32) 소수를 반올림하여 일의 자리까지 나타내어 어림식으로 나타내고, 어림 셈하여 몫의 소수점 위치를 찾아 소수점을 찍어 보세요.

**23** 59.52÷3

어림 [ ]÷3 → 약 [ ]

몫 1□9□8□4

**24** 17.88÷6

어림 [ ]÷6 → 약 [ ]

몫 2□9□8

**25** 27.8÷4

어림 [ ]÷4 → 약 [ ]

몫 6□9□5

**26** 11.64÷3

어림 [ ]÷3 → 약 [ ]

몫 3□8□8

**27** 64.4÷8

어림 [ ]÷8 → 약 [ ]

몫 8□0□5

**28** 34.7÷5

어림 [ ]÷5 → 약 [ ]

몫 6□9□4

**29** 95.6÷8

어림 [ ]÷8 → 약 [ ]

몫 1□1□9□5

**30** 9.36÷3

어림 [ ]÷3 → 약 [ ]

몫 3□1□2

**31** 13.65÷7

어림 [ ]÷7 → 약 [ ]

몫 1□9□5

**32** 54.06÷6

어림 [ ]÷6 → 약 [ ]

몫 9□0□1

# 서술형 풀어보기

구조화 해서 풀어보아요

**33** 몫을 어림하여 몫이 1보다 작은 나눗셈을 모두 찾아 그 기호를 쓰세요.

| ㉠ 6.37÷7 | ㉡ 7.16÷8 | ㉢ 18.36÷6 | ㉣ 17.66÷9 |

**풀이과정**

㉠ 어림 6.3÷7 → 약 [     ]          ㉡ 어림 7.2÷8 → 약 [     ]

㉢ 어림 18÷6 → 약 [     ]          ㉣ 어림 18÷9 → 약 [     ]

그러므로 [     ], [     ]의 몫이 1보다 작습니다.

**(34~37) 풀이과정을 쓰고 답을 구하세요.**

**34** 다음 어림셈을 이용하여 올바른 식에 ○표하세요.

19.65÷5를 어림하여 계산하면
20÷5=4입니다.

㉠ 19.65÷5=3.93          (          )
㉡ 19.65÷5=39.3          (          )

풀이 _____

**35** 55.7÷8의 몫의 소수점 위치를 찾기 위해 어림한 식을 알맞게 쓴 사람의 이름을 쓰세요.

현서: 560÷8          도원: 56÷8

풀이 _____

답 _____

**36** 다음 나눗셈의 몫을 어림하여 몫이 가장 큰 나눗셈을 찾아 기호를 쓰세요.

| ㉮ 2.67÷3 | ㉯ 11.7÷4 |
| ㉰ 5.3÷5 | ㉱ 14.2÷7 |

풀이 _____

답 _____

**37** 95.64÷6을 어림셈하여 몫의 소수점 위치를 찾아 소수점을 찍고, 그 이유를 설명해 보세요.

어림 → 96÷6=16
1□5□9□4

풀이 _____

**연마 Check**  칭찬이나 노력할 점을 써 주세요.

| 맞힌 개수 | 지도 의견 | | 확인란 |
|---|---|---|---|
| 개 | 나의 생각 | | |

# 23 일차  두 수 비교하기, 비와 비율 구하기

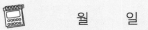

월  일

● 두 수를 비교하기

장미는 12송이, 튤립은 24송이
일 때

**방법 ①** 뺄셈으로 비교

튤립의 수에서 장미의 수를 빼면

→ 24−12=12

→ 튤립이 장미보다 12송이 많습니다.

**방법 ②** 나눗셈으로 비교

(튤립의 수)÷(장미의 수) → 24÷12=2

→ 튤립의 수는 장미의 수의 2배입니다.

● 비와 비율

남학생 수가 13명, 여학
생 수가 11명일 때

**비** 비교하는 양과 기준량의 비

→ (비교하는 양) : (기준량)

여학생 수에 대한 남학생 수의 비 → 13:11

→ 기준량은 여학생

**비율** = $\dfrac{(비교하는 양)}{(기준량)}$ = $\dfrac{남학생 수}{여학생 수}$ = $\dfrac{13}{11}$

**핵심포인트**

· 비: 두 수를 비교하기 위해 ' : '을
사용해 나타낸 것, 기준이 되는 것
이 뒤에 옵니다.

· 비율: 비교하는 양을 기준량으로 나눈 값

· 비율은 분수 또는 소수로 나타낼 수 있습
니다.

· 13:11 읽는 법: 13 대 11, 13과
11의 비, 11에 대한 13의 비, 13
의 11에 대한 비

---

⏳ (01~03) 두 수를 뺄셈으로 비교해 보세요.

⏳ (04~06) 두 수를 나눗셈으로 비교해 보세요.

**01** 사과 9개, 배 6개

→ 9−6=3

☐ 가 ☐ 보다 ☐ 개
더 많습니다.

**04** 지우개 8개, 연필 12개

→ 12÷8=1.5

☐ 의 수는 ☐ 의
수의 ☐ 배 입니다.

**02** 붕어 23마리, 잉어 16마리

→ 23−16=7

☐ 가 ☐ 보다 ☐ 마리
더 많습니다.

**05** 빵 10개, 우유 30개

→ 30÷10=3

☐ 의 수는 ☐ 의
수의 ☐ 배 입니다.

**03** 선생님 5명, 학생 49명

→ 49−5=44

☐ 이 ☐ 보다 ☐ 명
더 많습니다.

**06** 달걀 16개, 오리 알 64개

→ 64÷16=4

☐ 의 수는 ☐ 의
수의 ☐ 배 입니다.

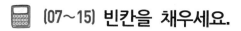
🖩 (07~15) 빈칸을 채우세요.

**07** 4 대 6 → ☐ : ☐

**08** 9에 대한 13의 비 → ☐ : ☐

**09** 5와 16의 비 → ☐ : ☐

**10** 남학생의 여학생에 대한 비
→ ☐ : ☐

**11** 7 : 22 → ☐ 에 대한 ☐ 의 비

**12** 연필이 6개, 지우개가 7개일 때 지우개 수와 연필 수의 비
→ ☐ : ☐

**13** 8의 3에 대한 비 → ☐ : ☐

**14** 5에 대한 19의 비 → ☐ : ☐

**15** 39 : 21 → ☐ 의 ☐ 에 대한 비

🖩 (16~20) 맞으면 ○표, 틀리면 ×표한 뒤에 바르게 고치세요.

**16** 3 : 1에서 비교하는 양은 1입니다.
( )

**17** 비 3 : 10을 비율로 나타내면 3.1입니다.
( )

**18** 비율 $\frac{9}{10}$의 기준량은 10입니다.
( )

**19** 4 : 13에서 기준량은 13입니다.
( )

**20** 기준량을 비교하는 양으로 나눈 값을 비의 값 또는 비율이라고 합니다.
( )

🖩 (21~23) 비의 기준량에 ○표 하고, 비율을 분수로 나타내세요.

**21** 8 : 3 → ☐

**22** 23 : 49 → ☐

**23** 세로 3cm, 가로 7cm일 때
(가로) : (세로) → ☐

**(24~29) 빈칸에 알맞은 수를 써넣으세요.**

**24**

| 비 | 기준량 | 비율(분수) |
|---|---|---|
| 17 : 19 | | |

**25**

| 비 | 기준량 | 비율(분수) |
|---|---|---|
| 9 : 10 | | |

**26**

| 비 | 기준량 | 비율(분수) |
|---|---|---|
| 1 : 4 | | |

**27**

| 비 | 기준량 | 비율(분수) |
|---|---|---|
| 9 : 40 | | |

**28**

| 비 | 기준량 | 비율(분수) |
|---|---|---|
| 7 : 10 | | |

**29**

| 비 | 기준량 | 비율(분수) |
|---|---|---|
| 12 : 21 | | |

**(30~34) 빈칸을 채우세요. 분수는 기약분수로 나타내세요.**

**30** 가로 18cm, 세로 12cm인 직사각형의 가로에 대한 세로의 비율

| 비 | 비율 (분수) |
|---|---|
| | |

**31** 밑변 14cm, 높이 12cm인 삼각형의 밑변에 대한 높이의 비율

| 비 | 비율 (분수) |
|---|---|
| | |

**32** 27에 대한 18의 비율

| 비 | 비율 (분수) |
|---|---|
| | |

**33** 학생 51명, 선생님 3명일 때 학생 수에 대한 선생님의 수의 비율

| 비 | 비율 (분수) |
|---|---|
| | |

**34** 가로가 4cm, 세로가 12cm인 직사각형의 넓이에 대한 둘레의 비율

| 비 | 비율 (분수) |
|---|---|
| | |

# 서술형 풀어보기

구조화 해서 풀어보아요

**35** 그림을 보고 전체에 대한 색칠한 부분의 비율을 기약분수로 나타내세요.

(풀이과정)

(1) (색칠한 칸 수) : (전체 칸 수)이므로 ☐ : ☐ 입니다.

<그림>

(2) 분수로 나타내면 ☐ 입니다.

(3) 기약분수로 나타내면 ☐ 입니다.

**[36~39] 풀이과정을 쓰고 답을 구하세요.**

**36** 그림을 보고 색칠되지 않은 부분에 대한 색칠된 부분의 비율을 기약분수로 나타내세요.

[그림]

풀이 _____

답 _____

**38** 비 21 : 9를 잘못 나타낸 사람을 고르고 바르게 고쳐보세요.

· 민아: 21에 대한 9의 비입니다.

· 도희: 비율로 나타내면 $2\frac{1}{3}$ 입니다.

· 진솔: 21과 9의 비입니다.

답 _____

**37** 진솔이는 34 kg, 진솔이 아빠는 68 kg일 때, 진솔이 아빠 몸무게에 대한 진솔이의 몸무게의 비율을 기약분수로 나타내세요.

풀이 _____

답 _____

**39** 동물원에 4종류의 동물들이 있는데 사자가 5마리, 원숭이가 12마리, 토끼가 6마리, 홍학이 11마리가 있습니다. 4종류 동물 전체 수에 대한 원숭이의 비율을 기약분수로 나타내세요.

풀이 _____

답 _____

## 연마 Check 칭찬이나 노력할 점을 써 주세요.

| 맞힌 개수 | 지도 의견 | | 확인란 |
|---|---|---|---|
| 개 | 나의 생각 | | |

# 비율을 백분율로, 백분율을 비율로 나타내기

월    일

● 비율을 백분율로 나타내기

백분율은 비율에 100을 곱한 값입니다.

→ (백분율)＝(비율)×100

백분율은 기호 퍼센트(%)를 사용하여 나타냅니다.

분수를 백분율로 나타내기   $\dfrac{7}{10}$ → $\dfrac{7}{10}×100=70\%$

소수를 백분율로 나타내기   $0.15$ → $0.15×100=15\%$

● 백분율을 비율로 나타내기

백분율에서 % 기호를 떼고 100으로 나눕니다.

백분율을 분수로 나타내기   $25\%$ → $\dfrac{25}{100}=\dfrac{1}{4}$

백분율을 소수로 나타내기   $25\%$ → $25÷100=0.25$

$15\%$ → $15÷100=0.15$

---

⏳ (01~07) 비율을 백분율로 나타내세요.

**01** $\dfrac{1}{5}$ → $\dfrac{1}{5}×100=$ ☐ %

**02** $0.47$ → $0.47×100=$ ☐ %

**03** $\dfrac{21}{100}$ → $\dfrac{21}{100}×100=$ ☐ %

**04** $\dfrac{3}{10}$ → $\dfrac{3}{10}×100=$ ☐ %

**05** $0.31$ → $0.31×100=$ ☐ %

**06** $\dfrac{7}{25}$ → $\dfrac{7}{25}×100=$ ☐ %

**07** $0.2$ → $0.2×100=$ ☐ %

⏳ (08~14) 백분율을 분수로 나타내세요.

**08** $23\%$ → ☐

**09** $80\%$ → ☐

**10** $25\%$ → ☐

**11** $7\%$ → ☐

**12** $28\%$ → ☐

**13** $92\%$ → ☐

**14** $75\%$ → ☐

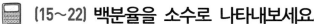

(15~22) 백분율을 소수로 나타내보세요.

**15** 36% →

**16** 58% →

**17** 44% →

**18** 97% →

**19** 2% →

**21** 11% →

**20** 83% →

**22** 27% →

(23~32) 크기를 비교하여 ○안에 >, <, =를 알맞게 써넣으세요.

**23** 25% ○ $\dfrac{1}{5}$

**24** 8% ○ $\dfrac{11}{100}$

**25** 71% ○ $\dfrac{71}{100}$

**26** 64% ○ $\dfrac{16}{25}$

**27** 0.09 ○ 7%

**28** 75% ○ $\dfrac{6}{7}$

**29** 311% ○ 2.89

**30** 4.2 ○ $4\dfrac{1}{3}$

**31** 60% ○ 0.66

**32** $\dfrac{2}{5}$ ○ 39%

 **(33~42)** 빈칸을 채우세요.

**33**

| 비 | 비율 | | |
|---|---|---|---|
| | 분수 | 소수 | 백분율 |
| 19 : 100 | | | |

**34**

| 비 | 비율 | | |
|---|---|---|---|
| | 분수 | 소수 | 백분율 |
| 4 : 25 | | | |

**35**

| 비 | 비율 | | |
|---|---|---|---|
| | 분수 | 소수 | 백분율 |
| 20 : 16 | | | |

**36**

| 비 | 비율 | | |
|---|---|---|---|
| | 분수 | 소수 | 백분율 |
| 3 : 25 | | | |

**37**

| 비 | 비율 | | |
|---|---|---|---|
| | 분수 | 소수 | 백분율 |
| 8과 100의 비 | | | |

**38**

| 비 | 비율 | | |
|---|---|---|---|
| | 분수 | 소수 | 백분율 |
| 2와 10의 비 | | | |

**39**

| 비 | 비율 | | |
|---|---|---|---|
| | 분수 | 소수 | 백분율 |
| 100에 대한 39의 비 | | | |

**40**

| 비 | 비율 | | |
|---|---|---|---|
| | 분수 | 소수 | 백분율 |
| 100에 대한 125의 비 | | | |

**41**

| 비 | 비율 | | |
|---|---|---|---|
| | 분수 | 소수 | 백분율 |
| 200에 대한 1의 비 | | | |

**42**

| 비 | 비율 | | |
|---|---|---|---|
| | 분수 | 소수 | 백분율 |
| 5에 대한 3의 비 | | | |

# 서술형 풀어보기

구조화 해서 풀어보아요

**43** 색칠한 부분은 전체의 몇 %일까요?

**풀이과정**

(1) (색칠한 부분) : (전체) = ☐ : ☐ 입니다.

(2) 기약분수로 나타내면 ☐ 입니다.

(3) 분수를 백분율로 나타내면 ☐ × ☐ = ☐ 이므로 ☐ %입니다.

**(44~47) 풀이과정을 쓰고 답을 구하세요.**

**44** 색칠한 부분은 전체의 몇 %일까요?

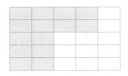

풀이

답 _____ %

**46** 도희가 케이크를 전체의 $\frac{17}{25}$ 만큼 먹었습니다. 도희가 먹은 양은 전체 케이크의 몇 %인지 백분율로 나타내세요.

풀이

답 _____ %

**45** 연마 초등학교 6학년 학생은 100명 중 놀이공원에 78명 미술관에 22명이 소풍을 갔습니다. 전체 학생 수에 대한 미술관으로 간 학생 수의 비율을 백분율로 나타내세요.

풀이

답 _____ %

**47** 다온이에게는 검정색 머리띠가 20개, 빨간색 머리띠가 12개 있습니다. 다온이의 검정 머리띠 개수에 대한 빨간 머리띠 개수의 비율을 백분율로 나타내세요.

풀이

답 _____ %

**연마 Check** 칭찬이나 노력할 점을 써 주세요.

| 맞힌 개수 | 지도 의견 | | 확인란 |
|---|---|---|---|
| 개 | 나의 생각 | | |

# 사건이 일어날 가능성 알아보기

월    일

구슬이 10개 들어있는 주머니에 빨간 구슬이 3개 있습니다. 이 주머니에서 구슬 하나를 꺼낸다면 그 구슬이 빨간 구슬일 가능성을 알아봅시다.

| 전체 구슬의 수 | 빨간 구슬의 수 | 전체 구슬에 대한 빨간 구슬의 비율 |
|---|---|---|
| 10개 | 3개 | $\frac{3}{10}$ |

→ 전체 구슬에 대한 빨간 구슬의 비율이 $\frac{3}{10}$ 이므로 빨간 구슬을 꺼낼 가능성은 $\frac{3}{10}$ 입니다. 이것을 백분율로 나타내면 30 %입니다.

**핵심 포인트**

- 절대 일어날 수 없는 사건이 일어날 가능성은 0입니다.
- 항상 일어나는 사건이 일어날 가능성은 1입니다. 구슬이 들어있는 주머니에서 구슬을 꺼낼 가능성은 1입니다. 빨간 구슬을 꺼내지 않을 가능성은
  → $1 - \frac{3}{10} = \frac{7}{10}$ 이므로 $\frac{7}{10}$ 또는 70%입니다.

⏳ (01~04) 주머니 안에 구슬만 5개가 있는데 이 중 2개가 노란 구슬입니다.

**01** 주머니에서 구슬을 꺼낼 가능성은 ☐ 입니다.

**02** 주머니에서 노란 구슬을 꺼낼 가능성은 ☐ 입니다.

**03** 주머니에서 연필을 꺼낼 가능성은 ☐ 입니다.

**04** 주머니에서 노란색이 아닌 구슬을 꺼낼 가능성은 ☐ − ☐ 이므로 ☐ 입니다. 이것을 백분율로 나타내면 ☐ %입니다.

⏳ (05~07) 양떼목장에 검은 털의 양이 8마리, 흰 털의 양이 27마리, 얼룩무늬 털의 양이 15마리 있는데 한 마리씩 울타리에 넣으려고 합니다. 다음 빈칸을 채우세요. (다른 색의 털을 가진 양은 없습니다.)

**05** 제일 먼저 울타리에 검은 털 양을 넣을 가능성은 ☐ 입니다.

**06** 제일 먼저 울타리에 들어갈 가능성이 높은 색의 양은 ☐ 털 양입니다.

**07** 제일 먼저 울타리에 검은 털 양을 넣지 않을 가능성은 ☐ − ☐ 이므로 ☐ 입니다. 이것을 백분율로 나타내면 ☐ %입니다.

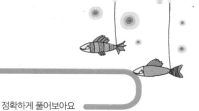

**(08~12)** 상자에 빨간 공이 32개, 파란 공이 38개, 흰 공이 30개가 있습니다.

**08** 상자에는 공이 모두 몇 개가 있을까요?

**09** 상자에서 흰 공을 꺼낼 가능성은 몇 % 일까요?

**10** 상자에서 빨간 공을 꺼내지 않을 가능성을 분수로 쓰세요.

**11** 상자에서 파란 공을 꺼낼 가능성을 분수로 쓰세요.

**12** 상자에서 빨간 공을 꺼낼 가능성을 백분율로 나타내보세요.

**(13~14)** 연마 초등학교 6학년 학생들의 취미 생활에 대해 조사했습니다. 학생들은 4개 항목 중에 1개만 선택할 수 있습니다.

| 취미 생활 | 독서 | 악기연주 | 게임 | TV 시청 등 기타 |
|---|---|---|---|---|
| 비율 | $\frac{1}{3}$ | $\frac{3}{8}$ | $\frac{1}{12}$ | $\frac{5}{24}$ |

**13** 응답자 가운데 취미활동이 독서가 아닐 가능성을 분수로 쓰세요.

**14** 응답자 가운데 취미활동이 게임이 아닐 가능성은 얼마일까요?

**(15~17)** 어느 동물병원에서 일 년 동안 동물들 진료목록을 보니 강아지가 52%, 고양이가 23%, 설치류가 14%, 파충류가 6%, 조류가 4%, 어류 등 기타가 1%였습니다.

**15** 고양이와 설치류 중에 동물병원에 올 가능성이 더 높은 동물은 무엇일까요?

**16** 동물병원에 온 동물이 파충류가 아닐 가능성을 분수로 나타내세요.

**17** 동물병원에 온 동물이 강아지가 아닐 가능성을 분수로 나타내세요.

# 구조화 하기

구조화 하기를 연습하면 서술형도 쉽게 풀어요

**(18~27) 다음 상황을 보고 일어날 가능성을 분수로 나타내세요.**

**18** 반 학생 중에 여학생일 가능성이 25%일 때

| 남학생일 가능성 | |

**19** 상자 속에 고구마와 감자가 100개 있는데 고구마가 38개일 때

| 고구마가 아닐 가능성 | |

**20** 민주네는 일주일 중에 잡곡밥 먹는 날이 3일일 때

| 잡곡밥이 아닐 가능성 | |

**21** 팥빵, 크림빵, 소보루빵을 합쳐 50개의 빵 중에 소보루빵이 12개일 때

| 소보루빵이 아닐 가능성 | |

**22** 주머니에 파란 공이 25개, 빨간 공이 40개, 흰 공이 35개일 때

| 흰 공을 꺼낼 가능성 | |

**23** 책상 위 200자루의 펜 중에 검정 펜이 40자루일 때

| 검정 펜이 아닐 가능성 | |

**24** 옷장에 파란 옷과 흰 옷만 24벌 있을 때

| 노란 옷일 가능성 | |

**25** 횟집 수족관에 광어와 우럭, 도미를 합쳐 24마리 중에 광어가 8마리일 때

| 광어가 아닐 가능성 | |

**26** 잉어 40마리 중에 황금색 잉어가 13마리일 때

| 황금색 잉어가 아닐 가능성 | |

**27** 구슬 30개 중에 파란 구슬 5개가 있을 때

| 파란 구슬이 아닐 가능성 | |

## 서술형 풀어보기

**28** 상자에서 별이 그려진 종이를 뽑는 사람이 설거지하기로 했습니다. 상자 안에 종이가 20장 들어있고, 별이 그려진 종이는 2장입니다. 설거지하지 않을 가능성을 백분율로 나타내세요.

풀이과정

(1) 별이 그려진 종이를 뽑을 가능성은 ☐ 입니다.

(2) 설거지를 하지 않을 가능성 = ☐ − ☐ 입니다.

(3) 백분율로 나타내면 ☐ %입니다.

설거지하지 않을 가능성

☐ − ☐ = ☐

💡 [29~30] 경품뽑기 상자에 공이 50개 있는데 금색이 1개, 검은색이 38개, 노란색이 11개라고 합니다. 이 중 금색을 뽑으면 상품권을, 노란색을 뽑으면 식용유를, 검은색을 뽑으면 막대사탕을 줍니다.

**29** 식용유를 받을 가능성을 분수로 구해 보세요.

답 _____

**30** 막대사탕을 받을 가능성은 몇 %일까요?

풀이 _____

답 _____ %

💡 [31~32] 수족관 어항에 검정 붕어가 29마리, 빨간 붕어가 48마리, 얼룩무늬 붕어가 23마리 있습니다. 수족관 주인은 손님이 원하는 색상을 주지 않고 뜰채로 아무 붕어나 떠서 담아준다고 합니다.

**31** 빨간 붕어를 받을 가능성을 분수로 쓰세요.

답 _____

**32** 검정 붕어를 받지 못할 가능성은 얼마일까요? 백분율로 나타내세요.

풀이 _____

답 _____ %

👍 연마 Check  칭찬이나 노력할 점을 써 주세요.

| 맞힌 개수 | 지도 의견 | | 확인란 |
|---|---|---|---|
| 개 | 나의 생각 | | |

● 비율과 기준량으로 비교하는 양 구하기

(비교하는 양)＝(기준량)×(비율)

→ 가로가 8 cm, 세로가 6 cm인 그림을 20% 축소했을 때, 축소한 가로의 길이

① 백분율을 분수나 소수로 나타냅니다.

20% → 0.2 또는 $\frac{1}{5}$

② 기준량은 처음 가로의 길이입니다.
(축소한 그림의 가로 길이)＝8×0.2＝1.6 cm

● 비율과 비교하는 양으로 기준량 구하기

(기준량)＝(비교하는 양)÷(비율)

→ 10%로 축소한 그림의 가로의 길이가 10 cm라고 할 때, 원래 그림의 가로의 길이

① 백분율을 분수로 나타냅니다. 10 % → $\frac{1}{10}$

② 기준량은 처음 가로의 길이입니다.
(처음 가로의 길이)
$= 10÷\frac{1}{10} = 10×\frac{10}{1} = 100$ cm

⏳ (01~06) 비교하는 양을 구해 보세요.

**01** 한 변의 길이가 40 cm인 정사각형의 한 변의 길이를 60% 축소했을 때, 축소한 한 변의 길이

(비교하는 양) ＝ ☐ × ☐ ＝ ☐ cm

**02** 가로가 70 cm, 세로가 100 cm인 직사각형의 세로의 길이를 250 % 확대했을 때, 확대한 세로의 길이

(비교하는 양) ＝ ☐ × ☐ ＝ ☐ cm

**03** 사탕 100개의 $\frac{9}{20}$ 개

(비교하는 양) ＝ ☐ × ☐ ＝ ☐ 개

**04** 20000원짜리 물건을 30 % 할인할 때 할인받는 가격

(비교하는 양) ＝ ☐ × ☐ ＝ ☐ 원

**05** 한 변이 28 cm인 정삼각형의 한 변의 길이를 40 % 축소했을 때, 축소한 한 변의 길이

(비교하는 양) ＝ ☐ × ☐ ＝ ☐ cm

**06** 40000원의 카드 수수료 이자가 12 %일 때, 내야 할 이자 금액

(비교하는 양) ＝ ☐ × ☐ ＝ ☐ 원

⏳ **(07~14) 기준량을 구해 보세요.**

**07** 40 %로 축소한 가로의 길이가 8 cm, 세로의 길이가 20 cm인 직사각형의 처음 가로의 길이

(기준량) = ⬜ ÷ ⬜ = ⬜ cm

**08** 20 % 할인하면 8000원을 할인해주는 물건의 원래 가격

(기준량) = ⬜ ÷ ⬜ = ⬜ 원

**09** 물건 금액의 5 %를 적립해주는 경우 적립된 금액이 300원일 때, 구매한 물건의 가격

(기준량) = ⬜ ÷ ⬜ = ⬜ 원

**10** 25 % 축소한 사진의 가로 길이가 16 cm일 때, 처음 사진의 가로 길이

(기준량) = ⬜ ÷ ⬜ = ⬜ cm

**11** 저축 예금 이자가 3 %인데 받은 이자가 12000원인 경우 예금한 돈

(기준량) = ⬜ ÷ ⬜ = ⬜ 원

**12** 여학생 수 16명이 반 전체의 40%일 때 반 전체 학생의 수

(기준량) = ⬜ ÷ ⬜ = ⬜ 명

**13** 140 % 확대한 한 변이 7 m인 정사각형의 처음 한 변의 길이

(기준량) = ⬜ ÷ ⬜ = ⬜ m

**14** 구매한 가격의 20%를 할인해 주는 경우 할인받은 금액이 7000원일 때, 구매한 금액

(기준량) = ⬜ ÷ ⬜ = ⬜ 원

두 단계

# 구조화하기

구조화 하기를 연습하면 서술형도 쉽게 풀어요

**(15~24) 빈칸을 채우세요. 비율은 분수나 소수로 고치세요.**

**15** 한 변이 100 cm인 정사각형을 60% 축소했을 때 축소한 한 변의 길이

| 기준량 | 비율 | 비교하는 양 |
|---|---|---|
| 100 cm | 0.6 또는 $\dfrac{3}{5}$ | |

**16** 한 변이 40 m인 정사각형을 55% 축소했을 때 축소한 한 변의 길이

| 기준량 | 비율 | 비교하는 양 |
|---|---|---|
| 40 m | 0.55 또는 $\dfrac{11}{20}$ | |

**17** 25%로 축소한 한 변이 20 cm인 정사각형의 처음 한 변의 길이

| 기준량 | 비율 | 비교하는 양 |
|---|---|---|
| | 0.25 또는 $\dfrac{1}{4}$ | 20 cm |

**18** 80%로 축소한 직사각형의 세로의 길이가 16 cm일 때 처음 직사각형의 세로의 길이

| 기준량 | 비율 | 비교하는 양 |
|---|---|---|
| | 0.8 또는 $\dfrac{4}{5}$ | 16 cm |

**19** 남학생이 260명이고 전교생 수의 52%일 때

| 기준량 | 비율 | 비교하는 양 |
|---|---|---|
| | 0.52 또는 $\dfrac{13}{25}$ | 260명 |

**20** 320명의 40%

| 기준량 | 비율 | 비교하는 양 |
|---|---|---|
| 320명 | 0.4 또는 $\dfrac{2}{5}$ | |

**21** 50개의 20%

| 기준량 | 비율 | 비교하는 양 |
|---|---|---|
| 50 개 | 0.2 또는 $\dfrac{1}{5}$ | |

**22** □의 5%가 750원

| 기준량 | 비율 | 비교하는 양 |
|---|---|---|
| | 0.05 또는 $\dfrac{1}{20}$ | 750 원 |

**23** □개의 70%가 280개

| 기준량 | 비율 | 비교하는 양 |
|---|---|---|
| | 0.7 또는 $\dfrac{7}{10}$ | 280 개 |

**24** □원의 11% 적립금이 363원

| 기준량 | 비율 | 비교하는 양 |
|---|---|---|
| | 0.11 또는 $\dfrac{11}{100}$ | 363 원 |

# 서술형 풀어보기

**25** 빵 가게 할인 이벤트를 해서 빵을 4800원어치 샀는데 1200원을 할인해 주었습니다. 이 빵 가게에서 15000원어치의 빵을 사면 얼마를 할인받을 수 있을까요?

( 풀이과정 )

(1) 이 빵 가게의 할인율을 구해 보세요.

$$(할인율)\% = \frac{\boxed{\phantom{00}}}{\boxed{\phantom{00}}} \times \boxed{\phantom{00}} = \boxed{\phantom{00}}\%$$

| 기준량 | 비율 | 비교하는 양 |
|--------|------|-------------|
|        |      |             |

(2) 15000원어치의 빵을 샀을 때 할인받는 가격은 $\boxed{\phantom{000}}$ 원입니다.

**(26~29) 풀이과정을 쓰고 답을 구하세요.**

**26** 피자와 치킨을 함께 주문하면 총 주문금액의 30%를 할인해준다고 합니다. 총 주문금액이 48000원일 때, 내야 할 돈은 얼마입니까?

풀이

답 _____ 원

**28** 마트에서 물건을 샀더니 800원을 적립해주었습니다. 산 금액의 5%를 적립해 준다고 할 때, 물건을 산 금액은 얼마일까요?

풀이

답 _____ 원

**27** 직사각형을 250% 확대했더니 가로의 길이가 75 cm가 되었습니다. 직사각형의 처음 가로의 길이는 몇 cm일까요?

풀이

답 _____ cm

**29** 은행 월 이자율이 2%라고 합니다. 10만 원의 돈을 예금했을 때, 8개월 후에 예금한 돈과 이자의 합을 구하세요.

풀이

답 _____ 원

**연마 Check** 칭찬이나 노력할 점을 써 주세요.

| 맞힌 개수 | | 지도 의견 | | 확인란 |
|-----------|---|-----------|---|--------|
| 개 | | 나의 생각 | | |

# 속력 구하기

월 일

$$(속력) = \frac{(거리)}{(시간)} = (거리) \div (시간)$$

| 시속 | 분속 | 초속 |
|---|---|---|
| 1시간 동안에 가는 평균 거리 | 1분 동안에 가는 평균 거리 | 1초 동안에 가는 평균 거리 |
| 시속 120 km는 1시간 동안에 평균 120 km를 이동하는 것 → 120 km/시 | 분속 40 m는 1분 동안에 평균 40 m를 이동하는 것 → 40 m/분 | 초속 8 m는 1초 동안에 평균 8 m를 이동하 는 것 → 8 m/초 |

 **핵심 포인트**

- $(거리) = (속력) \times (시간)$

- $(시간) = \frac{(거리)}{(속력)} = (거리) \div (속력)$

- 자동차로 400 km를 가는데 5시간이 걸렸을 때, 이 자동차의 속력을 구하면 $(속력) = (거리) \div (시간)$ 즉, $400 \div 5$ 이므로 80km/시입니다.

⏳ **(01~09) 속력을 구하세요.**

**01**
걸린 시간 : 2시간
이동 거리: 300km

☐ km/시

**04**
걸린 시간 : 25분
이동 거리: 500m

☐ m/분

**07**
걸린 시간 : 10초
이동 거리: 80m

☐ m/초

**02**
걸린 시간 : 6시간
이동 거리: 300km

☐ km/시

**05**
걸린 시간 :50분
이동 거리: 500m

☐ m/분

**08**
걸린 시간 : 20초
이동 거리: 80m

☐ m/초

**03**
걸린 시간 : 10시간
이동 거리: 300km

☐ km/시

**06**
걸린 시간 : 4분
이동 거리: 500m

☐ m/분

**09**
걸린 시간 : 40초
이동 거리: 80m

☐ m/초

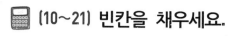

**계산력 강화하기**

## (10~21) 빈칸을 채우세요.

**10** 걸린 시간 : 2시간
속력 : 130km/시
이동 거리 : ☐ km

**11** 걸린 시간 : 4시간
속력 : 130km/시
이동 거리 : ☐ km

**12** 걸린 시간 : 6시간
속력 : 130km/시
이동 거리 : ☐ km

**13** 걸린 시간 : 30분
속력 : 130km/시
이동 거리 : ☐ km

**14** 걸린 시간 : 80분
속력 : 40m/분
이동 거리 : ☐ m

**15** 걸린 시간 : 9분
속력 : 40m/분
이동 거리 : ☐ m

**16** 걸린 시간 : 15분
속력 : 40m/분
이동 거리 : ☐ m

**17** 걸린 시간 : 30분
속력 : 40m/분
이동 거리 : ☐ m

**18** 속력 : 10m/분
이동 거리 : 800 m
걸린 시간 : ☐ 분

**19** 속력 : 40m/분
이동 거리 : 800 m
걸린 시간 : ☐ 분

**20** 속력 : 16m/분
이동 거리 : 800 m
걸린 시간 : ☐ 분

**21** 속력 : 20m/분
이동 거리 : 800 m
걸린 시간 : ☐ 분

## (22~23) 빈칸을 채우세요.

**22** 시속 300km인 기차의 4시간 이동한 거리

→ 300 × ☐ = ☐ km

**23** 시속 300km의 분속

→ 300 ÷ ☐ = ☐ km/분

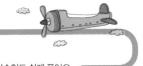
 **(24~33) 빈칸을 채우세요.**

**24**

| 걸린 시간 | 속력 | 이동 거리 |
|---|---|---|
| 3시간 | | 420 km |

**25**

| 걸린 시간 | 속력 | 이동 거리 |
|---|---|---|
| 9시간 | 50 km/시 | |

**26**

| 걸린 시간 | 속력 | 이동 거리 |
|---|---|---|
| 30분 | | 20 km |

**27**

| 걸린 시간 | 속력 | 이동 거리 |
|---|---|---|
| 20분 | | 120 m |

**28**

| 걸린 시간 | 속력 | 이동 거리 |
|---|---|---|
| 40초 | | 880 m |

**29**

| 걸린 시간 | 속력 | 이동 거리 |
|---|---|---|
| 1시간 | | 10 km |

**30**

| 걸린 시간 | 속력 | 이동 거리 |
|---|---|---|
| 4시간 | 170 km/시 | |

**31**

| 걸린 시간 | 속력 | 이동 거리 |
|---|---|---|
| 1시간 30분 | 80 km/시 | |

**32**

| 걸린 시간 | 속력 | 이동 거리 |
|---|---|---|
| 9분 | | 810 m |

**33**

| 걸린 시간 | 속력 | 이동 거리 |
|---|---|---|
| | 120 km/시 | 360 km |

**34** 기차를 타고 강릉역까지 가는데 1시간 30분이 걸렸습니다. 기차가 시속 320 km일 때 이동 거리를 구해 보세요.

( 풀이과정 )

(1) (거리) = ☐ × ☐

(2) 1시간 30분을 시간으로 나타내면 ☐ 또는 ☐

(3) ☐ × 320 = ☐ km

| 걸린 시간 | 속력 | 이동 거리 |
|---|---|---|
| 1시간 30분 | 320km/시 | |

💡 **(35~38) 풀이과정을 쓰고 답을 반올림하여 소수 두 번째 자리까지 구하세요.**

**35** 어느 장난감 기차는 2분에 14 m를 이동한다고 합니다. 이 장난감 기차의 분속을 구하고, 8분 움직였을 때의 이동 거리를 구하세요.

풀이 _____

답 _____

**37** 75분에 200 km를 이동하는 자동차가 있습니다. 이 자동차의 시속을 구하고, 4시간 동안 움직인 이동 거리를 구하세요.

풀이 _____

답 _____

**36** 영상 15 ℃, 100000 Pa 기준의 일상생활에서의 소리의 속력은 340 m/초 일 때 6.8 km 떨어진 곳에서 난 소리는 몇 초 후에 들릴까요?

풀이 _____

답 _____ 초

**38** 북극 토끼는 시속 60 km를 이동할 수 있고, 장수 거북이는 시속 10 km를 이동할 수 있다고 합니다. 이 두 마리의 동물이 120 km를 이동한다고 할 때 걸리는 시간을 각각 구해보세요.

풀이 _____

답 _____

👍 **연마 Check** 칭찬이나 노력할 점을 써 주세요.

| 맞힌 개수 | 지도 의견 | | 확인란 |
|---|---|---|---|
| 개 | 나의 생각 | | |

# 28 일차  인구밀도와 용액의 진하기

월    일

● 인구밀도: 1 km²에 사는 평균 인구

(인구밀도)=(인구)÷(넓이)

→ 넓이가 250 km²이고, 인구가 75000명
인 지역의 인구밀도는 75000÷250=500
이므로 이 지역의 인구밀도는
500 명/km²입니다.

● 용액의 진하기: 용액의 양에 대한 용질의 양의 비율

(용액의 진하기)%= (용질의 양) ÷ ( 용액의 양)×100

→ 소금물 200 g에 소금이 40 g 녹아있을 때 소금물
의 진하기는 (소금물 → 용액, 소금 양 → 용질)
40÷200=0.2, %로 나타내면 0.2×100, 그러
므로 소금물의 진하기는 20%입니다.

⌛ **(01~06) 인구밀도를 구하세요.**

**01**  인구: 8000명
마을의 넓이: 500 km²

인구밀도 _____ 명/km²

**02**  인구: 4000명
마을의 넓이: 500 km²

인구밀도 _____ 명/km²

**03**  인구: 3000000명
마을의 넓이: 1500 km²

인구밀도 _____ 명/km²

**04**  인구: 75000명
마을의 넓이: 5 km²

인구밀도 _____ 명/km²

**05**  인구: 3528000명
마을의 넓이: 420 km²

인구밀도 _____ 명/km²

**06**  인구: 4500명
마을의 넓이: 25 km²

인구밀도 _____ 명/km²

계산력 강화하기

정확하게 풀어보아요

## ⌛ (07~16) 용액의 진하기를 구하세요.

**07** 소금물의 양: 100 g
소금의 양: 20 g

용액의 진하기 _____ %

**08** 소금물의 양: 360 g
소금의 양: 90 g

용액의 진하기 _____ %

**09** 소금물의 양: 500 g
소금의 양: 40 g

용액의 진하기 _____ %

**10** 소금물의 양: 400 g
소금의 양: 80 g

용액의 진하기 _____ %

**11** 소금물의 양: 1000 g
소금의 양: 350 g

용액의 진하기 _____ %

**12** 설탕물의 양: 200 g
설탕의 양: 26 g

용액의 진하기 _____ %

**13** 설탕물의 양: 700 g
설탕의 양: 462 g

용액의 진하기 _____ %

**14** 설탕물의 양: 900 g
설탕의 양: 513 g

용액의 진하기 _____ %

**15** 설탕물의 양: 600 g
설탕의 양: 264 g

용액의 진하기 _____ %

**16** 설탕물의 양: 500 g
설탕의 양: 185 g

용액의 진하기 _____ %

4단계

# 구조화 하기

구조화 하기를 연습하면 서술형도 쉽게 풀어요

**(17~26) 단위를 표시하여 빈칸을 채우세요.**

**17**

| 인구 | 넓이 | 인구밀도 |
|---|---|---|
| 9000명 | 200 km$^2$ | |

**22**

| 인구 | 넓이 | 인구밀도 |
|---|---|---|
| 10000명 | 50 km$^2$ | |

**18**

| 인구 | 넓이 | 인구밀도 |
|---|---|---|
| 70000명 | 28000 km$^2$ | |

**23**

| 인구 | 넓이 | 인구밀도 |
|---|---|---|
| | 15 km$^2$ | 10 명/km$^2$ |

**19**

| 인구 | 넓이 | 인구밀도 |
|---|---|---|
| | 160 km$^2$ | 100 명/km$^2$ |

**24**

| 인구 | 넓이 | 인구밀도 |
|---|---|---|
| 30000명 | | 60 명/km$^2$ |

**20**

| 소금 | 물 | 소금물 | 용액의 진하기(%) |
|---|---|---|---|
| 50 g | | 200 g | |

**25**

| 소금 | 물 | 소금물 | 용액의 진하기(%) |
|---|---|---|---|
| 80 g | 120 g | | |

**21**

| 소금 | 물 | 소금물 | 용액의 진하기(%) |
|---|---|---|---|
| 5 g | | 250 g | |

**26**

| 소금 | 물 | 소금물 | 용액의 진하기(%) |
|---|---|---|---|
| 33 g | 77 g | | |

# 서술형 풀어보기

구조화 해서 풀어보아요

**27** 다음 표는 민아네 마을과 수아네 마을의 $1 \, km^2$에 사는 평균 인구에 관한 표입니다. 누구네 마을의 인구 밀도가 더 높나요?

| 마을 | 인구 | 넓이 |
|------|------|------|
| 민아네 마을 | 110000명 | $100 \, km^2$ |
| 수아네 마을 | 200000명 | $250 \, km^2$ |

**풀이과정**

(1) 민아네 마을 인구 밀도 = ☐ ÷ ☐ = ☐ 명/$km^2$

(2) 수아네 마을 인구 밀도 = ☐ ÷ ☐ = ☐ 명/$km^2$

(3) ☐ 네 마을 인구 밀도가 더 높습니다.

**(28~30) 풀이과정을 쓰고 답을 구하세요.**

**28** 다음 표는 도희네 마을과 민재네 마을의 인구밀도에 관한 표입니다. 누구네 마을 인구가 더 많을까요?

| 마을 | 넓이 | 인구 밀도 |
|------|------|-----------|
| 도희네 마을 | $400 \, km^2$ | 80 명/$km^2$ |
| 민재네 마을 | $1000 \, km^2$ | 25 명/$km^2$ |

풀이

답

**29** 소금물 400 g에 소금이 40 g 녹아있다고 할 때, 소금물의 진하기는 몇 %일까요?

풀이

답 _____ %

**30** 설탕 50 g에 물 200 g을 넣고 잘 저어 설탕물을 만들었습니다.

(1) 이 설탕물의 진하기는 몇 %일까요?

풀이

답 _____ %

(2) 위에서 만든 설탕물에 설탕을 70 g 더 넣어 잘 저어주었습니다. 이 용액의 진하기는 몇 %일까요?

풀이

답 _____ %

**연마 Check** 칭찬이나 노력할 점을 써 주세요.

| 맞힌 개수 | 지도 의견 | | 확인란 |
|-----------|-----------|---|--------|
| 개 | 나의 생각 | | |

# 29 일차 띠그래프

● 전체에 대한 각 부분의 비율을 띠 모양으로 나타낸 그래프를 띠그래프라고 합니다.

**좋아하는 분식**

| 0 10 20 30 40 50 60 70 80 90 100(%) |
|---|

| 떡볶이 (40%) | 김밥 (25%) | 만두 (20%) | 튀김 (15%) |
|---|---|---|---|

→ 띠그래프 전체는 100%를 나타냅니다.

→ 띠그래프에서는 각 항목이 차지하는 비율만큼 칸을 나누어 나타냅니다.

**핵심포인트**

· 띠그래프는 비율이 높은 항목부터 차례로 구분하여 띠 모양으로 나타내는 것이 일반적이지만 순서가 있는 항목(계절 등)은 순서대로 나타낼 수 있습니다.

| 띠그래프 | 막대그래프 |
|---|---|
| 전체에 대한 각 부분의 비율 | 여러 항목의 수량 비교 |

---

⏳ (01~04) 학생 **40**명을 대상으로 여러 사항을 조사한 띠그래프입니다. 빈칸을 채우세요.

**01** 가고 싶은 산

| 0 10 20 30 40 50 60 70 80 90 100(%) |
|---|

| 한라산 (35%) | 지리산 (30%) | 설악산 | 기타 (10%) |
|---|---|---|---|

(1) 가장 많은 학생이 가고 싶어 하는 산은 ☐ 입니다.

(2) 설악산에 가고 싶은 학생의 비율은 ☐ %입니다.

**02** 가고 싶은 국내 여행지

| 0 10 20 30 40 50 60 70 80 90 100(%) |
|---|

| 제주도 (50%) | 대관령 | 기타 (15%) | 경포대 (10%) |
|---|---|---|---|

(1) 가장 많은 학생이 가고 싶은 장소는 ☐ 입니다.

(2) 대관령에 가고 싶은 학생의 비율은 ☐ %입니다.

**03** 좋아하는 음악 장르

| 0 10 20 30 40 50 60 70 80 90 100(%) |
|---|

| 가요 | 팝송 (35%) | 클래식 (15%) | 기타 (10%) |
|---|---|---|---|

(1) 가장 많은 학생이 좋아하는 음악 장르는 ☐ 입니다.

(2) 가요를 좋아하는 학생은 ☐ 명입니다.

**04** 혈액형

| 0 10 20 30 40 50 60 70 80 90 100(%) |
|---|

| A형 (30%) | B형 (25%) | O형 (25%) | AB형 (20%) |
|---|---|---|---|

(1) 가장 많은 혈액형은 ☐ 형입니다.

(2) 혈액형 AB형은 ☐ 명입니다.

 **(05~12) 표를 보고 띠 그래프를 그려보세요.**

**05**

마을주민 성씨

| 성씨 | 김씨 | 이씨 | 박씨 | 기타 | 합계 |
|------|------|------|------|------|------|
| 백분율(%) | 45 | 25 | 20 | 10 | 100 |

마을주민 성씨

```
0   10  20  30  40  50  60  70  80  90  100(%)
```

**09**

쓰레기의 양

| 쓰레기 | 플라스틱 | 종이 | 고철 | 기타 | 합계 |
|------|------|------|------|------|------|
| 백분율(%) | 40 | 30 | 20 | 10 | 100 |

쓰레기의 양

```
0   10  20  30  40  50  60  70  80  90  100(%)
```

**06**

좋아하는 음료수

| 음료수 | 탄산음료 | 주스 | 우유 | 기타 | 합계 |
|------|------|------|------|------|------|
| 백분율(%) | 35 | 30 | 25 | 10 | 100 |

좋아하는 음료수

```
0   10  20  30  40  50  60  70  80  90  100(%)
```

**10**

좋아하는 채소

| 채소 | 당근 | 시금치 | 오이 | 기타 | 합계 |
|------|------|------|------|------|------|
| 백분율(%) | 30 | 25 | 25 | 20 | 100 |

좋아하는 채소

```
0   10  20  30  40  50  60  70  80  90  100(%)
```

**07**

좋아하는 생선

| 생선 | 갈치 | 고등어 | 삼치 | 조기 | 합계 |
|------|------|------|------|------|------|
| 백분율(%) | 35 | 25 | 20 | 20 | 100 |

좋아하는 생선

```
0   10  20  30  40  50  60  70  80  90  100(%)
```

**11**

태어난 계절

| 계절 | 봄 | 여름 | 가을 | 겨울 | 합계 |
|------|------|------|------|------|------|
| 백분율(%) | 20 | 40 | 15 | 25 | 100 |

태어난 계절

```
0   10  20  30  40  50  60  70  80  90  100(%)
```

**08**

좋아하는 과일

| 과일 | 사과 | 포도 | 귤 | 배 | 합계 |
|------|------|------|------|------|------|
| 백분율(%) | 40 | 30 | 25 | 5 | 100 |

좋아하는 과일

```
0   10  20  30  40  50  60  70  80  90  100(%)
```

**12**

사과 생산량

| 농장 | (가) 농장 | (나) 농장 | (다) 농장 | (라) 농장 | 합계 |
|------|------|------|------|------|------|
| 백분율(%) | 35 | 30 | 20 | 15 | 100 |

사과 생산량

```
0   10  20  30  40  50  60  70  80  90  100(%)
```

6단계

📖 (13~16) 표를 보고 물음에 답하세요.

**13**

취미활동

| 취미활동 | 운동 | 게임 | 악기연주 | 기타 | 합계 |
|---|---|---|---|---|---|
| 학생 수 | 14 | 12 | 10 | 4 | 40 |

(1) 취미활동별로 백분율을 구하세요.

운동: [ ] %, 게임: [ ] %

악기연주: [ ] %, 기타: [ ] %

(2) 띠그래프를 그리세요.

취미활동

0  10  20  30  40  50  60  70  80  90  100(%)

**15**

여행 가고 싶은 나라

| 취미활동 | 미국 | 프랑스 | 호주 | 영국 | 합계 |
|---|---|---|---|---|---|
| 학생 수 | 90 | 75 | 72 | 63 | 300 |

(1) 여행 가고 싶은 나라별로 백분율을 구하세요.

미국: [ ] %, 프랑스: [ ] %

호주: [ ] %, 영국: [ ] %

(2) 띠그래프를 그리세요.

여행 가고 싶은 나라

0  10  20  30  40  50  60  70  80  90  100(%)

**14**

기르는 애완동물

| 애완동물 | 강아지 | 고양이 | 햄스터 | 금붕어 | 합계 |
|---|---|---|---|---|---|
| 학생 수 | 48 | 36 | 24 | 12 | 120 |

(1) 기르는 애완동물별로 백분율을 구하세요.

강아지: [ ] %, 고양이: [ ] %

햄스터: [ ] %, 금붕어: [ ] %

(2) 띠그래프를 그리세요.

기르는 애완동물

0  10  20  30  40  50  60  70  80  90  100(%)

**16**

좋아하는 과목

| 취미활동 | 음악 | 수학 | 영어 | 사회 | 합계 |
|---|---|---|---|---|---|
| 학생 수 | 70 | 60 | 40 | 30 | 200 |

(1) 좋아하는 과목별로 백분율을 구하세요.

음악: [ ] %, 수학: [ ] %

영어: [ ] %, 사회: [ ] %

(2) 띠그래프를 그리세요.

좋아하는 과목

0  10  20  30  40  50  60  70  80  90  100(%)

서술형 풀어보기

구조화 해서 풀어보아요

**17** 선미네 마을의 200가구를 조사하여 나타낸 띠그래프입니다. (다) 동은 몇 가구일까요?

동별 가구 수

| 0 10 20 30 40 50 60 70 80 90 100(%) |
|---|

| (가) 동<br>(35%) | (나) 동<br>(30%) | (다) 동<br>(20%) | (라) 동<br>(15%) |
|---|---|---|---|

풀이과정

(1) ☐ 가구를 조사한 띠그래프입니다.

(2) (다) 동은 전체의 ☐ % 입니다.

(3) (다) 동의 가구 수는 ☐ × ☐ = ☐ 가구입니다.

💡 [18~19] **50명의 학생을 대상으로 다음 사항들을 조사하여 나타낸 띠그래프입니다. 물음에 답하세요.**

**18** 배우고 싶은 악기

| 0 10 20 30 40 50 60 70 80 90 100(%) |
|---|

| 피아노<br>(50%) | 바이올린<br>(20%) | 플루트<br>(14%) | 드럼<br>(16%) |
|---|---|---|---|

(1) 피아노를 배우고 싶은 학생은 몇 명일까요?

풀이 _____

답 _____ 명

(2) 플루트를 배우고 싶은 학생은 몇 명일까요?

풀이 _____

답 _____ 명

**19** 특기 적성 활동

| 0 10 20 30 40 50 60 70 80 90 100(%) |
|---|

| 컴퓨터<br>(40%) | 그림 그리기<br>(30%) | 바둑<br>(20%) | 서예<br>(10%) |
|---|---|---|---|

(1) 특기 적성활동으로 컴퓨터를 하는 학생은 몇 명일까요?

풀이 _____

답 _____ 명

(2) 특기 적성활동으로 그림 그리기를 하는 학생은 몇 명일까요?

풀이 _____

답 _____ 명

6 단계

✋ 연마 Check  칭찬이나 노력할 점을 써 주세요.

| 맞힌 개수 | 지도 의견 | | 확인란 |
|---|---|---|---|
| 개 | 나의 생각 | | |

● 전체에 대한 각 부분의 비율을 원 모양으로 나타낸 그래프 를 원그래프라고 합니다.

좋아하는 동물

→ 원그래프 전체는 100%를 나타냅니다.

→ 원그래프에서는 각 항목이 차지하는 비율만큼 칸을 나누어 나타냅니다.

 **핵심 포인트**

• 원그래프는 전체와 부분, 부분과 부분 사이의 비율을 한눈에 알아보기 쉽습 니다.

⏳ **(01~04) 반 학생 100명을 대상으로 조사한 원그래프입니다. 빈칸을 채우세요.**

**01** (1) 가장 많은 성씨는 ☐ 씨입니다.

(2) 박씨를 가진 학 생의 비율은 ☐ %입니다.

성씨

**03** (1) 가장 많은 학생이 좋아하는 과목은 ☐ 입니다.

(2) 사회를 좋아하는 학생의 비율은 ☐ %입니다.

좋아하는 과목

**02** (1) 가장 많은 학생 이 좋아하는 채소 는 ☐ 입니 다.

(2) 고구마를 좋아 하는 학생은 ☐ 명입니다.

좋아하는 채소

**04** (1) 여가활동으로 가장 적은 학생이 선택한 것은 ☐ 입니다.

(2) 여가활동으로 독서를 하는 학생은 ☐ 명입니다.

여가활동

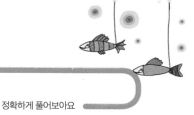

## (05~10) 표를 보고 원 그래프를 그려보세요.

**05**

받고 싶은 선물

| 선물 | 장난감 | 책 | 학용품 | 기타 | 합계 |
|------|--------|-----|--------|------|------|
| 백분율(%) | 45 | 30 | 20 | 5 | 100 |

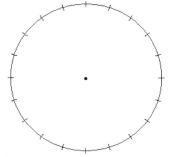

**06**

여행하고 싶은 나라

| 나라 | 스위스 | 프랑스 | 캐나다 | 호주 | 합계 |
|------|--------|--------|--------|------|------|
| 백분율(%) | 35 | 30 | 20 | 15 | 100 |

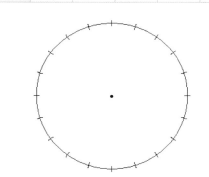

**07**

좋아하는 스포츠

| 스포츠 | 축구 | 농구 | 야구 | 기타 | 합계 |
|--------|------|------|------|------|------|
| 백분율(%) | 40 | 30 | 15 | 15 | 100 |

**08**

가보고 싶은 산

| 산 | 한라산 | 지리산 | 태백산 | 기타 | 합계 |
|----|--------|--------|--------|------|------|
| 백분율(%) | 45 | 25 | 20 | 10 | 100 |

**09**

장래희망

| 장래희망 | 의사 | 선생님 | 공무원 | 기타 | 합계 |
|----------|------|--------|--------|------|------|
| 백분율(%) | 35 | 35 | 15 | 15 | 100 |

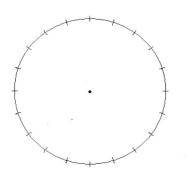

**10**

좋아하는 꽃

| 꽃 | 장미 | 백합 | 튤립 | 기타 | 합계 |
|----|------|------|------|------|------|
| 백분율(%) | 45 | 20 | 20 | 15 | 100 |

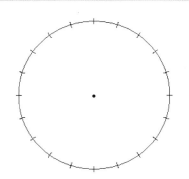

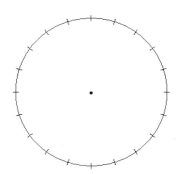

6
단
계

 **(11~14) 표를 보고 물음에 답하세요.**

**11**

### 좋아하는 색

| 색상 | 초록 | 파랑 | 노랑 | 기타 | 합계 |
|------|------|------|------|------|------|
| 학생 수 | 20 | 15 | 10 | 5 | 50 |

(1) 색별로 백분율을 구하세요.

초록: ☐ %, 파랑: ☐ %

노랑: ☐ %, 기타: ☐ %

(2) 원그래프를 그리세요.

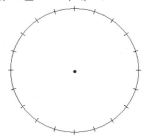

**13**

### 좋아하는 한국 음식

| 음식 | 돈가스 | 삼겹살 | 비빔밥 | 기타 | 합계 |
|------|--------|--------|--------|------|------|
| 학생 수 | 25 | 47 | 18 | 10 | 100 |

(1) 음식별로 백분율을 구하세요.

돈가스: ☐ %, 삼겹살: ☐ %

비빔밥: ☐ %, 기타: ☐ %

(2) 원그래프를 그리세요.

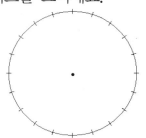

**12**

### 좋아하는 전통놀이

| 전통놀이 | 윷놀이 | 연날리기 | 제기차기 | 기타 | 합계 |
|----------|--------|----------|----------|------|------|
| 학생 수 | 28 | 12 | 6 | 4 | 50 |

(1) 전통놀이별로 백분율을 구하세요.

윷놀이: ☐ %, 연날리기: ☐ %

제기차기: ☐ %, 기타: ☐ %

(2) 원그래프를 그리세요.

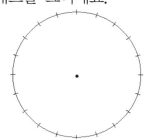

**14**

### 좋아하는 김밥 종류

| 김밥 종류 | 참치 김밥 | 치즈 김밥 | 멸치 김밥 | 기타 | 합계 |
|-----------|-----------|-----------|-----------|------|------|
| 학생 수 | 23 | 15 | 7 | 5 | 50 |

(1) 김밥 종류별로 백분율을 구하세요.

참치: ☐ %, 치즈: ☐ %

멸치: ☐ %, 기타: ☐ %

(2) 원그래프를 그리세요.

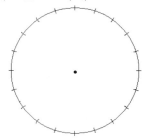

## 서술형 풀어보기

구조화 해서 풀어보아요

**15** 학교 학생 400명을 대상으로 좋아하는 간식을 조사하여 나타낸 원그래프입니다. 김밥을 좋아하는 학생 수는 몇 명일까요?

간식

튀김 (15%)
떡볶이 (30%)
김밥 (25%)
순대 (30%)

**풀이과정**

(1) ⬚ 명의 학생을 조사한 원그래프입니다.

(2) 전체의 ⬚ %의 학생이 김밥을 좋아합니다.

(3) 김밥을 좋아하는 학생 수는 ⬚ × ⬚ = ⬚ 명입니다.

**[16~17] 현우네 반 학생 40명에게 아래 사항들을 조사하여 나타낸 원그래프입니다. 물음에 답하세요.**

**16** (1) 소설책을 좋아하는 학생은 몇 명일까요?

위인전 (15%)
동화책 (35%)
만화책 (25%)
소설책 (25%)

좋아하는 책

풀이 _____

답 _____ 명

(2) 위인전을 좋아하는 학생은 몇 명일까요?

풀이 _____

답 _____ 명

**17** (1) 봄에 태어난 학생은 몇 명일까요?

겨울 (20%)
봄 (20%)
가을 (15%)
여름 (45%)

태어난 계절

풀이 _____

답 _____ 명

(2) 여름에 태어난 학생은 몇 명일까요?

풀이 _____

답 _____ 명

6 단계

**연마 Check** 칭찬이나 노력할 점을 써 주세요.

| 맞힌 개수 | 지도 의견 | | 확인란 |
|---|---|---|---|
| 개 | 나의 생각 | | |

# 31 일차 직육면체와 정육면체의 겉넓이

월 일

● 직육면체의 겉넓이

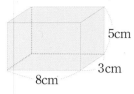

→ (옆면 넓이의 합)=
　{(8×5)+(3×5)}×2=110
→ (윗면과 아랫면 넓이의 합)=(8×3)×2=48
→ (직육면체의 겉넓이)=110+48=158 cm²

● 정육면체의 겉넓이

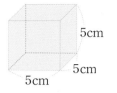

→ (정육면체의 겉넓이)
　=(5×5)×6=150 cm²

⏳ [01~02] 빈칸에 알맞은 수를 써넣어 직육면체의 겉넓이를 구하세요.

**01**

① (옆면 넓이의 합)
　={(2×4)+(2×4)}×2=□
② (윗면과 아랫면 넓이의 합)
　=(2×□)×2=□
→ (직육면체의 겉넓이)
　=□+□=□ cm²

**02**

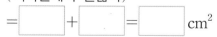

① (옆면 넓이의 합)
　={(7×□)+(4×□)}×2=□
② (윗면과 아랫면 넓이의 합)
　=(7×□)×2=□
→ (직육면체의 겉넓이)
　=□+□=□ cm²

⏳ [03~05] 빈칸에 알맞은 수를 써넣어 정육면체의 겉넓이를 구하세요.

**03**

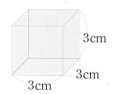

→ (정육면체의 겉넓이)
　=(□×□)×6=□ cm²

**04**

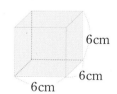

→ (정육면체의 겉넓이)
　=(□×□)×□=□ cm²

**05**

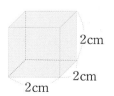

→ (정육면체의 겉넓이)
　=(□×□)×□=□ cm²

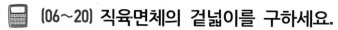

 (06~20) 직육면체의 겉넓이를 구하세요.

**06**
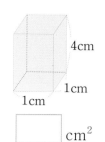
4cm
1cm
1cm
☐ cm²

**07**
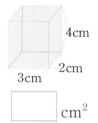
4cm
2cm
3cm
☐ cm²

**08**
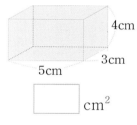
4cm
3cm
5cm
☐ cm²

**09**
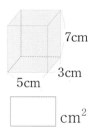
7cm
3cm
5cm
☐ cm²

**10**
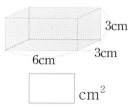
3cm
3cm
6cm
☐ cm²

**11**
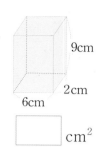
9cm
2cm
6cm
☐ cm²

**12**
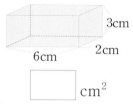
3cm
2cm
6cm
☐ cm²

**13**
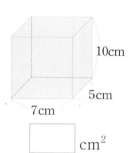
10cm
5cm
7cm
☐ cm²

**14**
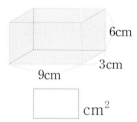
6cm
3cm
9cm
☐ cm²

**15**
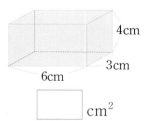
4cm
3cm
6cm
☐ cm²

**16**
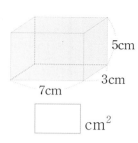
5cm
3cm
7cm
☐ cm²

**17**
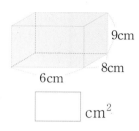
9cm
8cm
6cm
☐ cm²

**18**
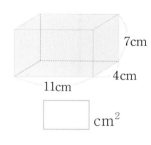
7cm
4cm
11cm
☐ cm²

**19**
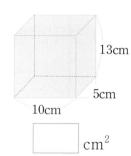
13cm
5cm
10cm
☐ cm²

**20**
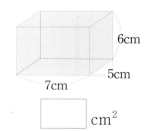
6cm
5cm
7cm
☐ cm²

(21~29) 정육면체의 겉넓이를 구하세요.

**21**
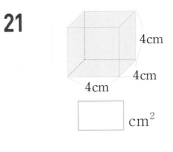
4cm
4cm
4cm
☐ cm²

**24**
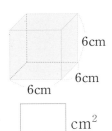
6cm
6cm
6cm
☐ cm²

**27**
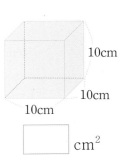
10cm
10cm
10cm
☐ cm²

**22**
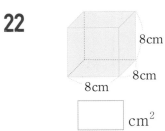
8cm
8cm
8cm
☐ cm²

**25**
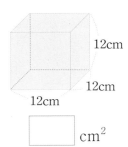
12cm
12cm
12cm
☐ cm²

**28**
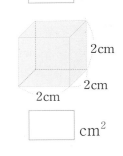
2cm
2cm
2cm
☐ cm²

**23**
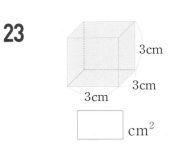
3cm
3cm
3cm
☐ cm²

**26**
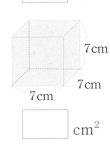
7cm
7cm
7cm
☐ cm²

**29**
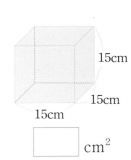
15cm
15cm
15cm
☐ cm²

(30~35) 정육면체의 한 변의 길이를 구하세요.

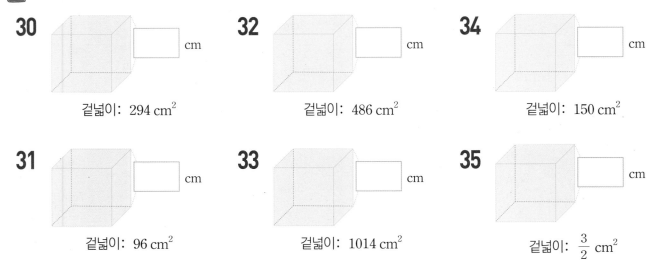

**30** ☐ cm
겉넓이: 294 cm²

**32** ☐ cm
겉넓이: 486 cm²

**34** ☐ cm
겉넓이: 150 cm²

**31** ☐ cm
겉넓이: 96 cm²

**33** ☐ cm
겉넓이: 1014 cm²

**35** ☐ cm
겉넓이: $\frac{3}{2}$ cm²

## 서술형 풀어보기

구조화 해서 풀어보아요

**36** 가로가 5 cm, 세로가 2 cm, 높이가 3 cm인
직육면체의 겉넓이는 몇 cm²일까요?

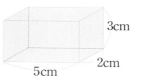

3cm

2cm

5cm

(풀이과정)

(1) 직육면체의 옆면 넓이의 합은 {(5×[　])+(2×[　])}×2=[　]입니다.

(2) 직육면체의 윗면과 아랫면 넓이의 합은 (5×[　])×2=[　]입니다.

(3) 직육면체의 겉넓이는 [　]+[　]=[　] cm²입니다.

💡 [37~40] 풀이과정을 쓰고 답을 구하세요.

**37** 가로가 4 cm, 세로가 2 cm, 높이가 4 cm인 직육면체 상자의 겉넓이는 몇 cm² 일까요?

풀이 _____

답 _____ cm²

**39** 한 변의 길이가 5 cm인 정육면체 상자의 겉넓이는 몇 cm² 일까요?

풀이 _____

답 _____ cm²

**38** 가로가 7 cm, 세로가 3 cm, 높이가 3 cm인 직육면체 상자의 겉넓이는 몇 cm² 일까요?

풀이 _____

답 _____ cm²

**40** 한 면의 둘레가 32 cm인 정육면체의 겉넓이는 몇 cm² 일까요?

풀이 _____

답 _____ cm²

👆 **연마 Check**　칭찬이나 노력할 점을 써 주세요.

| 맞힌 개수 | 지도 의견 | | 확인란 |
|---|---|---|---|
| 개 | 나의 생각 | | |

# 직육면체와 정육면체의 부피

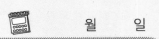

월 일

○ 직육면체의 부피

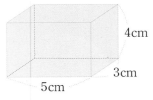

→ (직육면체의 부피)
　=5×3×4=60 cm³

○ 정육면체의 부피

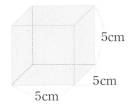

→ (정육면체의 부피)
　=5×5×5=125 cm³

**핵심포인트**

· 1 cm³는 한 모서리의 길이가 1 cm인 정육면체의 부피입니다.

· 직육면체의 부피
　=(가로)×(세로)×(높이)

· 정육면체의 부피
　=(한 모서리의 길이)×(한 모서리의 길이)×(한 모서리의 길이)

---

⏳ **(01~03)** 직육면체의 부피를 구하려고 합니다. 빈칸에 알맞은 수를 써넣으세요.

**01**

→ (직육면체의 부피)=

 cm³

**02**

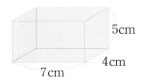

→ (직육면체의 부피)=

 cm³

**03**

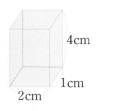

→ (직육면체의 부피)=

 cm³

⏳ **(04~06)** 정육면체의 부피를 구하려고 합니다. 빈칸에 알맞은 수를 써넣으세요.

**04**

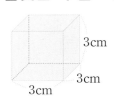

→ (정육면체의 부피)=

 cm³

**05**

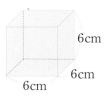

→ (정육면체의 부피)=

 cm³

**06**

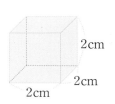

→ (정육면체의 부피)=

 cm³

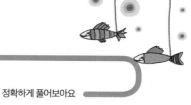

📱 **(07~15) 직육면체의 부피를 구하세요.**

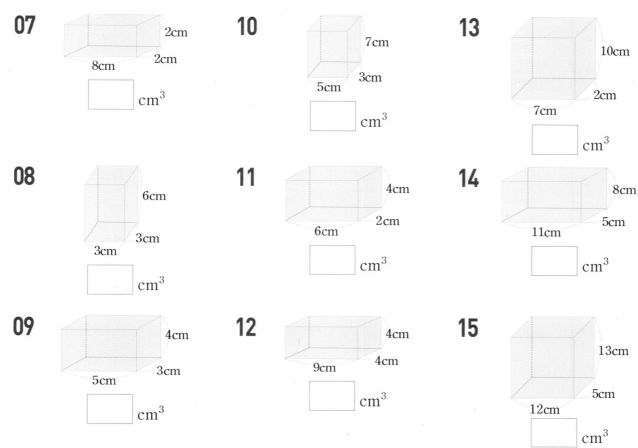

**07**
2cm
2cm
8cm
____ cm³

**10**
7cm
3cm
5cm
____ cm³

**13**
10cm
2cm
7cm
____ cm³

**08**
6cm
3cm
3cm
____ cm³

**11**
4cm
2cm
6cm
____ cm³

**14**
8cm
5cm
11cm
____ cm³

**09**
4cm
3cm
5cm
____ cm³

**12**
4cm
4cm
9cm
____ cm³

**15**
13cm
5cm
12cm
____ cm³

📱 **(16~21) 빈칸에 알맞은 수를 써넣으세요.**

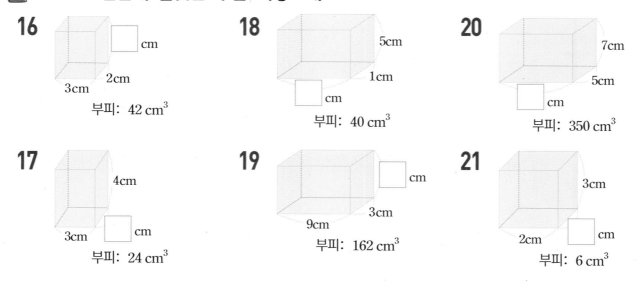

**16**
____ cm
2cm
3cm
부피: 42 cm³

**18**
5cm
1cm
____ cm
부피: 40 cm³

**20**
7cm
5cm
____ cm
부피: 350 cm³

**17**
4cm
3cm
____ cm
부피: 24 cm³

**19**
____ cm
3cm
9cm
부피: 162 cm³

**21**
3cm
2cm
____ cm
부피: 6 cm³

### (22~36) 정육면체의 부피를 구하세요.

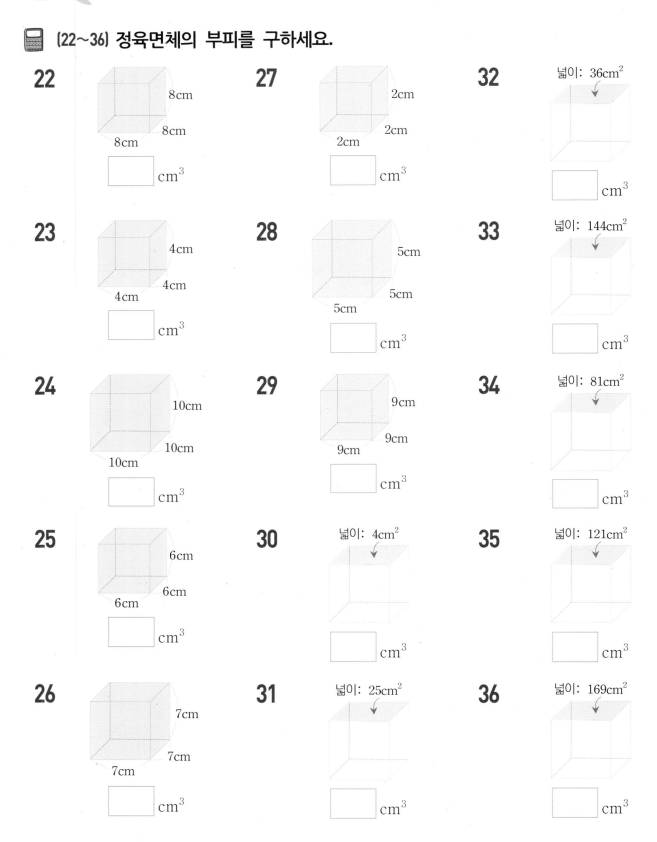

**22**

8cm
8cm
8cm

☐ cm³

**23**

4cm
4cm
4cm

☐ cm³

**24**

10cm
10cm
10cm

☐ cm³

**25**

6cm
6cm
6cm

☐ cm³

**26**

7cm
7cm
7cm

☐ cm³

**27**

2cm
2cm
2cm

☐ cm³

**28**

5cm
5cm
5cm

☐ cm³

**29**

9cm
9cm
9cm

☐ cm³

**30**

넓이: 4cm²

☐ cm³

**31**

넓이: 25cm²

☐ cm³

**32**

넓이: 36cm²

☐ cm³

**33**

넓이: 144cm²

☐ cm³

**34**

넓이: 81cm²

☐ cm³

**35**

넓이: 121cm²

☐ cm³

**36**

넓이: 169cm²

☐ cm³

## 사고력 확장

# 서술형 풀어보기

구조화 해서 풀어보아요

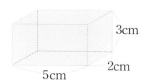

**37** 가로가 5 cm, 세로가 2 cm, 높이가 3 cm인 직육면체의 부피는 몇 cm³ 일까요?

3cm
5cm   2cm

(풀이과정)

→ 직육면체의 부피는 5× ☐ × ☐ = ☐ cm³ 입니다.

💡 (38~41) 풀이과정을 쓰고 답을 구하세요.

**38** 가로가 4 cm, 세로가 2 cm, 높이가 4 cm인 직육면체의 부피는 몇 cm³ 일까요?

풀이 _____

답 _____ cm³

**40** 한 변의 길이가 5 cm인 정육면체의 부피는 몇 cm³ 일까요?

풀이 _____

답 _____ cm³

**39** 가로가 7 cm, 세로가 3 cm, 높이가 3 cm인 직육면체의 부피는 몇 cm³ 일까요?

풀이 _____

답 _____ cm³

**41** 겉넓이가 216cm²인 정육면체 상자의 부피는 몇 cm³ 일까요?

풀이 _____

답 _____ cm³

7단계

## 연마 Check   칭찬이나 노력할 점을 써 주세요.

| 맞힌 개수 | 지도 의견 | | 확인란 |
|---|---|---|---|
| 개 | 나의 생각 | | |

# 11권

## 6-1
## 부모님/선생님 가이드

- 공부를 하면서 꼭 알아야 할 내용과, 문제 풀이 시간을 참고하여 아이의 학습 활동에 도움을 줄 수 있습니다.

| 단계 | 대단원명 | 일차 | 소단원명 | 학습 내용 | 문제 풀이 시간 | 부모님/ 선생님 체크 | 페이지 |
|---|---|---|---|---|---|---|---|
| 1단계 | 1. 분수의 나눗셈 | 1일차 | (1) (자연수)÷(자연수)① | (자연수)÷(자연수)의 몫을 분수로 나타낼 수 있습니다. | | | 12 |
| | | 2일차 | (자연수)÷(자연수)② | (자연수)÷(자연수)의 몫이 1보다 크면 대분수로 나타낼 수 있습니다. | | | 16 |
| | | 3일차 | (2) (진분수)÷(자연수)① | 나뉠 수의 분자가 나누는 수의 배수일 때의 나눗셈을 합니다. | | | 20 |
| | | 4일차 | (진분수)÷(자연수)② | 분자가 자연수의 배수가 아닌 나눗셈을 합니다. | | | 24 |
| | | 5일차 | (3) (가분수)÷(자연수)① | 분자가 자연수의 배수이므로 분자를 자연수로 나눕니다. | | | 28 |
| | | 6일차 | (가분수)÷(자연수)② | 분자가 자연수의 배수가 아닌 경우, ÷(자연수)를 $\times \dfrac{1}{\text{자연수}}$로 고쳐 계산합니다. | | | 32 |
| | | 7일차 | (4) (대분수)÷(자연수)① | 대분수를 가분수로 고친 뒤, 가분수의 분자가 자연수의 배수인 경우의 나눗셈입니다. | | | 36 |
| | | 8일차 | (대분수)÷(자연수)② | 분자가 자연수의 배수가 아닌 경우이므로 대분수를 가분수로 고친 뒤, ÷(자연수)를 $\times \dfrac{1}{\text{자연수}}$로 고쳐 계산합니다. | | | 40 |
| 2단계 | 2. 각기둥과 각뿔 | 9일차 | (1) 각기둥과 각뿔 알아보기 | 각기둥과 각뿔, 선분의 개수, 꼭짓점의 개수, 면의 개수를 압니다. | | | 44 |
| | | 10일차 | (2) 각기둥의 전개도 알아보기 | 전개도를 이해하고 입체도형의 종류를 밝힐 수 있습니다. | | | 48 |
| 3단계 | 3. 소수의 나눗셈(1) | 11일차 | (1) (소수)÷(자연수)① | 자연수의 나눗셈을 이용하여 (소수)÷(자연수)를 계산합니다. | | | 52 |
| | | 12일차 | (소수)÷(자연수)② | 분수의 나눗셈으로 (소수)÷(자연수)를 계산합니다. | | | 56 |
| | | 13일차 | (소수)÷(자연수)③ | 세로로 (소수)÷(자연수)를 계산합니다. | | | 60 |
| | | 14일차 | (소수)÷(자연수)④ | 여러 가지 방법으로 (소수)÷(자연수)를 계산합니다. | | | 64 |

초등
6·1

# 연산마스터

## 계산력 강화

### 학부모 가이드북

KILE 학력평가원

11권

KILE 학력평가원

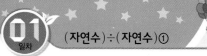
# (자연수)÷(자연수)①

월    일

○ 2÷5의 몫을 분수로 나타내기

$2 \div 5 = \frac{2}{5}$ $\left(2 \div 5 = 2 \times \frac{1}{5} = \frac{2}{5}\right)$

→ 나눌 수를 분자로, 나누는 수를 분모로 보내세요.

$$\frac{★}{●} \div ● = \frac{★}{●}$$

**개념포인트**

• 2÷5의 몫을 분수로 나타내기
① 2÷5의 몫을 분수의 곱셈으로 나타내면, $2 \times \frac{1}{5}$ 로 나타낼 수 있습니다.
② 2÷5는 2를 똑같이 5로 나눈 것 중의 하나입니다.
③ $2 \div 5 = 2 \times \frac{1}{5} = \frac{2}{5}$

[01~06] 빈칸에 알맞은 수를 써넣으세요.

**01**
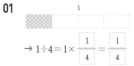
→ $1 \div 4 = 1 \times \frac{1}{4} = \frac{1}{4}$

**04**
→ $4 \div 5 = 4 \times \frac{1}{5} = \frac{4}{5}$

**02**
→ $1 \div 6 = 1 \times \frac{1}{6} = \frac{1}{6}$

**05**
→ $3 \div 4 = 3 \times \frac{1}{4} = \frac{3}{4}$

**03**
→ $1 \div 7 = 1 \times \frac{1}{7} = \frac{1}{7}$

**06**
→ $5 \div 8 = 5 \times \frac{1}{8} = \frac{5}{8}$

---

[07~30] 계산을 하세요.

**07** $1 \div 2 = \frac{1}{2}$

**08** $3 \div 7 = \frac{3}{7}$

**09** $2 \div 3 = \frac{2}{3}$

**10** $5 \div 6 = \frac{5}{6}$

**11** $2 \div 7 = \frac{2}{7}$

**12** $5 \div 8 = \frac{5}{8}$

**13** $4 \div 7 = \frac{4}{7}$

**14** $3 \div 10 = \frac{3}{10}$

**15** $2 \div 9 = \frac{2}{9}$

**16** $4 \div 11 = \frac{4}{11}$

**17** $7 \div 10 = \frac{7}{10}$

**18** $9 \div 11 = \frac{9}{11}$

**19** $10 \div 11 = \frac{10}{11}$

**20** $13 \div 20 = \frac{13}{20}$

**21** $11 \div 16 = \frac{11}{16}$

**22** $12 \div 17 = \frac{12}{17}$

**23** $4 \div 13 = \frac{4}{13}$

**24** $15 \div 19 = \frac{15}{19}$

**25** $13 \div 17 = \frac{13}{17}$

**26** $16 \div 19 = \frac{16}{19}$

**27** $17 \div 20 = \frac{17}{20}$

**28** $15 \div 21 = \frac{15}{21}\left(=\frac{5}{7}\right)$

**29** $17 \div 23 = \frac{17}{23}$

**30** $21 \div 29 = \frac{21}{29}$

---

[31~38] 빈칸에 알맞은 수를 써넣으세요.

**31**

| ÷ | | |
|---|---|---|
| 2 | 5 | $\frac{2}{5}$ |
| 7 | 9 | $\frac{7}{9}$ |
| $\frac{2}{7}$ | $\frac{5}{9}$ | |

**32**

| ÷ | | |
|---|---|---|
| 3 | 8 | $\frac{3}{8}$ |
| 11 | 17 | $\frac{11}{17}$ |
| $\frac{3}{11}$ | $\frac{8}{17}$ | |

**33**

| ÷ | | |
|---|---|---|
| 1 | 6 | $\frac{1}{6}$ |
| 5 | 13 | $\frac{5}{13}$ |
| $\frac{1}{5}$ | $\frac{6}{13}$ | |

**34**

| ÷ | | |
|---|---|---|
| 2 | 7 | $\frac{2}{7}$ |
| 11 | 23 | $\frac{11}{23}$ |
| $\frac{2}{11}$ | $\frac{7}{23}$ | |

**35**

| ÷ | | |
|---|---|---|
| 5 | 13 | $\frac{5}{13}$ |
| 12 | 19 | $\frac{12}{19}$ |
| $\frac{5}{12}$ | $\frac{13}{19}$ | |

**36**

| ÷ | | |
|---|---|---|
| 11 | 12 | $\frac{11}{12}$ |
| 15 | 31 | $\frac{15}{31}$ |
| $\frac{11}{15}$ | $\frac{12}{31}$ | |

**37**

| ÷ | | |
|---|---|---|
| 7 | 9 | $\frac{7}{9}$ |
| 15 | 41 | $\frac{15}{41}$ |
| $\frac{7}{15}$ | $\frac{9}{41}$ | |

**38**

| ÷ | | |
|---|---|---|
| 16 | 25 | $\frac{16}{25}$ |
| 31 | 34 | $\frac{31}{34}$ |
| $\frac{16}{31}$ | $\frac{25}{34}$ | |

---

**39** 민재의 카드에는 <5÷8>이라고 쓰여 있고, 도희의 카드에는 <7÷10>이라고 쓰여 있습니다. 누구의 카드에 쓰인 몫이 더 큰 것일까요?

**풀이과정**

(1) 5÷8은 $\frac{5}{8}$ 입니다.

(2) 7÷10은 $\frac{7}{10}$ 입니다.

(3) 그러므로 도희 의 카드의 몫이 더 큽니다.

• 8과 10의 최소공배수는 40 입니다.

$\frac{5}{8} = \frac{25}{40}$ , $\frac{7}{10} = \frac{28}{40}$

[40~43] 풀이과정을 쓰고 답을 구하세요.

**40** 6 L의 딸기 주스를 크기가 같은 병 11개에 똑같이 나누어 담는다면, 한 병에 몇 L의 딸기 주스를 담을 수 있을까요?

풀이 $6 \div 11 = \frac{6}{11}$

답 $\frac{6}{11}$ L

**41** 길이가 13 m인 리본이 있습니다. 이 리본을 15명에게 똑같이 나누어 주려고 한다면, 한 명에게 몇 m를 줄 수 있을까요?

풀이 $13 \div 15 = \frac{13}{15}$

답 $\frac{13}{15}$ m

**42** 8 L의 물을 $\frac{1}{7}$ L씩 컵에 담아 모두 덜어내면 몇 번에 덜어낼 수 있을까요?

풀이 $8 \div \frac{1}{7} = 56$

답 56 번

**43** 3 km의 실을 17명의 사람이 똑같이 나눠 가지려고 합니다. 한 사람이 몇 m의 실을 가지게 될까요? (답은 가분수로 씁니다.)

풀이 $3 \div 17 = \frac{3}{17}$, $\frac{3}{17} \times 1000 = \frac{3000}{17}$

답 $\frac{3000}{17}$ m

**엄마 Check**   칭찬이나 노력할 점을 써 주세요.

| 맞힌 개수 | 지도 의견 | | |
|---|---|---|---|
| 개 | 나의 생각 | | 확인란 |

## 02 일차 (자연수)÷(자연수)②

월 일

● 5÷4의 계산

→ $5 \div 4 = \frac{5}{4} \left(= 1\frac{1}{4}\right)$

$☆ \div ● = \frac{☆}{●}$

└ 가분수를 대분수로 고친 것입니다.

자연수의 나눗셈을 분수로 나타내는 방법은 몫이 1보다 작은 경우와 다른 점이 없습니다. 몫이 1보다 크므로 계산 결과의 가분수를 대분수로 고치는 연습을 합니다.

**핵심포인트**

- (나눌 수)÷(나누는 수)
  $= \frac{(나눌 수)}{(나누는 수)}$

- (자연수)÷(자연수)를 했는데 몫이 1보다 큰 경우는
  (나눌 수) > (나누는 수)
  입니다.

### [01~18] 나눗셈의 몫을 분수로 나타내세요.

**01** $3 \div 2 = \frac{3}{2} \left(= 1\frac{1}{2}\right)$

**02** $4 \div 3 = \frac{4}{3} \left(= 1\frac{1}{3}\right)$

**03** $5 \div 2 = \frac{5}{2} \left(= 2\frac{1}{2}\right)$

**04** $6 \div 5 = \frac{6}{5} \left(= 1\frac{1}{5}\right)$

**05** $7 \div 3 = \frac{7}{3} \left(= 2\frac{1}{3}\right)$

**06** $8 \div 7 = \frac{8}{7} \left(= 1\frac{1}{7}\right)$

**07** $9 \div 2 = \frac{9}{2} \left(= 4\frac{1}{2}\right)$

**08** $10 \div 3 = \frac{10}{3} \left(= 3\frac{1}{3}\right)$

**09** $8 \div 5 = \frac{8}{5} \left(= 1\frac{3}{5}\right)$

**10** $7 \div 2 = \frac{7}{2} \left(= 3\frac{1}{2}\right)$

**11** $10 \div 7 = \frac{10}{7} \left(= 1\frac{3}{7}\right)$

**12** $9 \div 5 = \frac{9}{5} \left(= 1\frac{4}{5}\right)$

**13** $11 \div 6 = \frac{11}{6} \left(= 1\frac{5}{6}\right)$

**14** $12 \div 5 = \frac{12}{5} \left(= 2\frac{2}{5}\right)$

**15** $11 \div 9 = \frac{11}{9} \left(= 1\frac{2}{9}\right)$

**16** $13 \div 12 = \frac{13}{12} \left(= 1\frac{1}{12}\right)$

**17** $12 \div 7 = \frac{12}{7} \left(= 1\frac{5}{7}\right)$

**18** $14 \div 11 = \frac{14}{11} \left(= 1\frac{3}{11}\right)$

---

## 계산력 강화하기

정확하게 풀어보아요

### [19~42] 나눗셈의 몫을 대분수로 나타내세요.

**19** $7 \div 4 = 1\frac{3}{4}$

**20** $9 \div 5 = 1\frac{4}{5}$

**21** $11 \div 3 = 3\frac{2}{3}$

**22** $13 \div 2 = 6\frac{1}{2}$

**23** $5 \div 3 = 1\frac{2}{3}$

**24** $8 \div 7 = 1\frac{1}{7}$

**25** $16 \div 9 = 1\frac{7}{9}$

**26** $14 \div 9 = 1\frac{5}{9}$

**27** $13 \div 4 = 3\frac{1}{4}$

**28** $16 \div 11 = 1\frac{5}{11}$

**29** $6 \div 5 = 1\frac{1}{5}$

**30** $10 \div 3 = 3\frac{1}{3}$

**31** $15 \div 13 = 1\frac{2}{13}$

**32** $27 \div 16 = 1\frac{11}{16}$

**33** $17 \div 8 = 2\frac{1}{8}$

**34** $12 \div 11 = 1\frac{1}{11}$

**35** $16 \div 15 = 1\frac{1}{15}$

**36** $23 \div 14 = 1\frac{9}{14}$

**37** $27 \div 19 = 1\frac{8}{19}$

**38** $35 \div 16 = 2\frac{3}{16}$

**39** $31 \div 19 = 1\frac{12}{19}$

**40** $25 \div 7 = 3\frac{4}{7}$

**41** $34 \div 27 = 1\frac{7}{27}$

**42** $54 \div 5 = 10\frac{4}{5}$

---

## 구조화 하기

구조화 하기를 연습하면 서술형도 쉽게 풀어요

### [43~54] 두 수의 나눗셈을 빈칸에 써넣으세요.

**43**  28 ÷9 $3\frac{1}{9}$

**44** 13 ÷2 $6\frac{1}{2}$

**45** 25 ÷9 $2\frac{7}{9}$

**46** 10 ÷3 $3\frac{1}{3}$

**47** 19 ÷15 $1\frac{4}{15}$

**48** 26 ÷3 $8\frac{2}{3}$

**49** 15 ÷4 $3\frac{3}{4}$

**50** 23 ÷22 $1\frac{1}{22}$

**51** 17 ÷15 $1\frac{2}{15}$

**52** 25 ÷19 $1\frac{6}{19}$

**53** 33 ÷10 $3\frac{3}{10}$

**54** 31 ÷28 $1\frac{3}{28}$

---

## 서술형 풀어보기

구조화 해서 풀어보아요

**55** 현서는 농장에서 사과를 87 kg 땄습니다. 현서는 이 사과를 50명의 사람에게 똑같이 나눠주려고 합니다. 한 사람에게 몇 kg의 사과를 줄 수 있을까요? (계산 결과는 대분수로 나타냅니다.)

**풀이과정**

(1) 사과의 전체 무게는 87 kg입니다.

(2) 50명의 사람에게 똑같이 나눠줄 것이므로 이것을 식으로 나타내면, 87 ÷ 50 입니다.

(3) 그러므로 한 사람에게 $1\frac{37}{50}$ kg의 사과를 줄 수 있습니다.

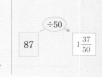 87 ÷50 $1\frac{37}{50}$

### [56~59] 풀이과정을 쓰고 답을 구하세요. (계산 결과는 대분수로 나타냅니다.)

**56** 94 cm인 갈치를 같은 길이로 7토막 내었습니다. 한 토막의 길이는 몇 cm일까요?

풀이 $94 \div 7 = \frac{94}{7} = 13\frac{3}{7}$

답 $13\frac{3}{7}$ cm

**57** 38 L의 우유를 13개의 병에 똑같이 나누어 담으려고 합니다. 한 병에 몇 L의 우유를 담을 수 있을까요?

풀이 $38 \div 13 = \frac{38}{13} = 2\frac{12}{13}$

답 $2\frac{12}{13}$ L

**58** 19 kg의 빵 반죽으로 똑같은 무게의 반죽을 사용해 14개의 빵을 만들 때, 반죽 한 덩이의 무게는 몇 kg이 될까요?

풀이 $19 \div 14 = \frac{19}{14} = 1\frac{5}{14}$

답 $1\frac{5}{14}$ kg

**59** 머리핀 공장에서 57개의 머리핀을 만드는데 사용되는 리본이 413 m라고 합니다. 머리핀 하나를 만드는데 사용되는 리본은 몇 m일까요?

풀이 $413 \div 57 = \frac{413}{57} = 7\frac{14}{57}$

답 $7\frac{14}{57}$ m

 **연마 Check** 칭찬이나 노력할 점을 써 주세요.

| 맞힌 개수 | 지도 의견 | | 확인란 |
|---|---|---|---|
| 개 | 나의 생각 | | |

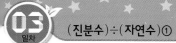

# 03 일차 (진분수)÷(자연수)①

월 일

$\frac{2}{3} \div 2$의 계산

→ $\frac{2}{3} \div 2 = \frac{2 \div 2}{3} = \frac{1}{3}$

→ 나뉠 수의 분자 2가 나누는 수의 2의 배수이므로 분자를 자연수로 나눕니다.

※ 분자가 자연수의 배수인 (진분수)÷(자연수)의 계산은 나뉠 수가 나누는 수의 배수인지 확인하고, 배수가 맞다면 분자를 자연수로 나눕니다.

**앱솔 포인트**
· (분자)<(분모)인 분수를 진분수라고 합니다.

| $\frac{2}{3}$ | $\frac{1}{3}$ |
|---|---|
| $\frac{1}{6}$ | $\frac{1}{6}$ |
| $\frac{1}{6}$ | $\frac{1}{6}$ |
| $\frac{1}{6}$ | $\frac{1}{6}$ |

→ $\frac{2}{3}$를 2로 나누면 $\frac{2}{6}$입니다. $\frac{2}{6}$를 약분하면 $\frac{1}{3}$입니다.

## [01~12] 빈칸에 알맞은 수를 써넣으세요.

01 $\frac{3}{4} \div 3 = \frac{3 \div \boxed{3}}{4} = \frac{\boxed{1}}{\boxed{4}}$

07 $\frac{10}{12} \div 2 = \frac{10 \div \boxed{2}}{12} = \frac{\boxed{5}}{\boxed{12}}$

02 $\frac{2}{5} \div 2 = \frac{2 \div 2}{5} = \frac{\boxed{1}}{\boxed{5}}$

08 $\frac{16}{19} \div 4 = \frac{16 \div \boxed{4}}{19} = \frac{\boxed{4}}{\boxed{19}}$

03 $\frac{6}{16} \div 2 = \frac{6 \div \boxed{2}}{16} = \frac{\boxed{3}}{16}$

09 $\frac{8}{15} \div \boxed{4} = \frac{2}{15}$

04 $\frac{8}{9} \div 4 = \frac{8 \div \boxed{4}}{9} = \frac{\boxed{2}}{9}$

10 $\frac{9}{11} \div \boxed{3} = \frac{3}{11}$

05 $\frac{21}{36} \div 3 = \frac{21 \div \boxed{3}}{36} = \frac{\boxed{7}}{\boxed{36}}$

11 $\frac{5}{8} \div \boxed{5} = \frac{1}{8}$

06 $\frac{12}{17} \div 4 = \frac{12 \div \boxed{4}}{17} = \frac{3}{17}$

12 $\frac{12}{13} \div \boxed{6} = \frac{2}{13}$

---

## [13~33] 계산을 하세요.

13 $\frac{6}{7} \div 2 = \frac{6 \div 2}{7} = \frac{3}{7}$

20 $\frac{14}{23} \div 7 = \frac{14 \div 7}{23} = \frac{2}{23}$

27 $\frac{18}{41} \div 3 = \frac{18 \div 3}{41} = \frac{6}{41}$

14 $\frac{16}{25} \div 8 = \frac{16 \div 8}{25} = \frac{2}{25}$

21 $\frac{18}{29} \div 9 = \frac{18 \div 9}{29}$ $= \frac{2}{29}$

28 $\frac{18}{19} \div 2 = \frac{18 \div 2}{19} = \frac{9}{19}$

15 $\frac{12}{14} \div 4 = \frac{12 \div 4}{14} = \frac{3}{14}$

22 $\frac{22}{31} \div 11 = \frac{22 \div 11}{31}$ $= \frac{2}{31}$

29 $\frac{28}{33} \div 7 = \frac{28 \div 7}{33}$ $= \frac{4}{33}$

16 $\frac{6}{7} \div 3 = \frac{6 \div 3}{7} = \frac{2}{7}$

23 $\frac{20}{33} \div 5 = \frac{20 \div 5}{33} = \frac{4}{33}$

30 $\frac{24}{31} \div 12 = \frac{24 \div 12}{31}$ $= \frac{2}{31}$

17 $\frac{15}{19} \div 3 = \frac{15 \div 3}{19} = \frac{5}{19}$

24 $\frac{12}{17} \div 4 = \frac{12 \div 4}{17} = \frac{3}{17}$

31 $\frac{72}{83} \div 8 = \frac{72 \div 8}{83} = \frac{9}{83}$

18 $\frac{8}{11} \div 4 = \frac{8 \div 4}{11} = \frac{2}{11}$

25 $\frac{16}{19} \div 4 = \frac{16 \div 4}{19}$ $= \frac{4}{19}$

32 $\frac{39}{40} \div 13 = \frac{39 \div 13}{40}$ $= \frac{3}{40}$

19 $\frac{8}{9} \div 2 = \frac{8 \div 2}{9} = \frac{4}{9}$

26 $\frac{21}{25} \div 7 = \frac{21 \div 7}{25}$ $= \frac{3}{25}$

33 $\frac{18}{43} \div 3 = \frac{18 \div 3}{43}$ $= \frac{6}{43}$

---

## [34~45] 빈칸에 알맞은 수를 써넣으세요.

34 $\frac{15}{26}$ → ÷5 → $\frac{3}{26}$
$\frac{15 \div 5}{26} = \frac{3}{26}$

40 $\frac{24}{35}$ → ÷6 → $\frac{4}{35}$
$\frac{24 \div 6}{35} = \frac{4}{35}$

35 $\frac{12}{13}$ → ÷2 → $\frac{6}{13}$
$\frac{12 \div 2}{13} = \frac{6}{13}$

41 $\frac{36}{37}$ → ÷12 → $\frac{3}{37}$
$\frac{36 \div 12}{37} = \frac{3}{37}$

36 $\frac{32}{51}$ → ÷8 → $\frac{4}{51}$
$\frac{32 \div 8}{51} = \frac{4}{51}$

42 $\frac{27}{29}$ → ÷9 → $\frac{3}{29}$
$\frac{27 \div 9}{29} = \frac{3}{29}$

37 $\frac{21}{32}$ → ÷7 → $\frac{3}{32}$
$\frac{21 \div 7}{32} = \frac{3}{32}$

43 $\frac{16}{19}$ → ÷4 → $\frac{4}{19}$
$\frac{16 \div 4}{19} = \frac{4}{19}$

38 $\frac{39}{47}$ → ÷13 → $\frac{3}{47}$
$\frac{39 \div 13}{47} = \frac{3}{47}$

44 $\frac{30}{31}$ → ÷5 → $\frac{6}{31}$
$\frac{30 \div 5}{31} = \frac{6}{31}$

39 $\frac{14}{17}$ → ÷2 → $\frac{7}{17}$
$\frac{14 \div 2}{17} = \frac{7}{17}$

45 $\frac{36}{47}$ → ÷18 → $\frac{2}{47}$
$\frac{36 \div 18}{47} = \frac{2}{47}$

---

46 세 개의 반이 카레를 만드는데 $\frac{15}{17}$ kg의 돼지고기를 3덩이로 똑같이 나누었습니다. 한 반이 가지는 돼지고기의 무게는 몇 kg일까요?

**풀이과정**

(1) 처음 돼지고기는 $\boxed{\frac{15}{17}}$ kg이 있습니다.

(2) 세 덩이로 나누는 식은 $\boxed{\frac{15}{17}} \div 3$ 입니다.

(3) 그러므로, 한 반이 가지는 돼지고기는 $\boxed{\frac{5}{17}}$ kg입니다.

$\frac{15}{17}$ → ÷3 → $\frac{5}{17}$

## [47~50] 풀이과정을 쓰고 답을 구하세요.

47 넓이가 $\frac{20}{27}$ cm²인 직사각형의 한 변의 길이는 5 cm라고 합니다. 이 직사각형의 다른 한 변의 길이는 몇 cm일까요?

풀이 $\frac{20}{27} \div 5 = \frac{20 \div 5}{27} = \frac{4}{27}$

답 $\frac{4}{27}$ cm

48 어느 직사각형의 넓이가 $\frac{28}{31}$ m²이고, 세로의 길이는 7 m라고 합니다. 이 직사각형의 가로의 길이를 구하세요.

풀이 $\frac{28}{31} \div 7 = \frac{28 \div 7}{31} = \frac{4}{31}$

답 $\frac{4}{31}$ m

49 $\frac{16}{27}$ m의 가래떡을 8등분했습니다. 8등분 한 가래떡의 한 덩이는 몇 m일까요?

풀이 $\frac{16}{27} \div 8 = \frac{16 \div 8}{27} = \frac{2}{27}$

답 $\frac{2}{27}$ m

50 도희는 똑같은 시집을 네 권 샀습니다. 시집 네 권의 무게는 $\frac{24}{25}$ kg이었습니다. 시집 한 권의 무게는 몇 kg일까요?

풀이 $\frac{24}{25} \div 4 = \frac{24 \div 4}{25} = \frac{6}{25}$

답 $\frac{6}{25}$ kg

**연마 Check** 칭찬이나 노력할 점을 써 주세요.

| 맞힌 개수 | | 지도 의견 | | 확인란 |
|---|---|---|---|---|
| | 개 | 나의 생각 | | |

## 04 일차 (진분수)÷(자연수)②

$\frac{3}{4} \div 2$의 계산

$\rightarrow \frac{3}{4} \div 2 = \frac{3}{4} \times \frac{1}{2} = \frac{3}{8}$

① 분자가 자연수의 배수가 아닌 (진분수)÷(자연수): 나누기를 곱하기로 바꿉니다. $\frac{3}{4} \div 2 = \frac{3}{4} \times \frac{1}{2}$

② 분모는 분모끼리, 분자는 분자끼리 곱합니다. 이때, 약분이 되면 약분을 합니다. $\frac{3}{4} \times \frac{1}{2} = \frac{3 \times 1}{4 \times 2} = \frac{3}{8}$

 **핵심포인트**

그림과 같이 $\frac{3}{4}$을 2로 나누면 $\frac{3}{8}$이 됩니다.

⏳ [01~10] 빈칸에 알맞은 수를 써넣으세요.

**01** $\frac{6}{7} \div 4 = \frac{6}{7} \times \frac{1}{\boxed{4}} = \frac{3}{\boxed{14}}$

**02** $\frac{3}{5} \div 6 = \frac{3}{5} \times \frac{1}{\boxed{6}} = \frac{1}{\boxed{10}}$

**03** $\frac{5}{6} \div 10 = \frac{5}{6} \times \frac{1}{\boxed{10}} = \frac{1}{\boxed{12}}$

**04** $\frac{8}{9} \div 12 = \frac{8}{9} \times \frac{1}{\boxed{12}} = \frac{2}{\boxed{27}}$

**05** $\frac{3}{10} \div 6 = \frac{3}{10} \times \frac{1}{\boxed{6}} = \frac{1}{\boxed{20}}$

**06** $\frac{9}{11} \div 5 = \frac{9}{11} \times \frac{1}{\boxed{5}} = \frac{9}{\boxed{55}}$

**07** $\frac{5}{8} \div 20 = \frac{5}{8} \times \frac{1}{\boxed{20}} = \frac{1}{\boxed{32}}$

**08** $\frac{7}{12} \div 14 = \frac{7}{12} \times \frac{1}{\boxed{14}} = \frac{1}{\boxed{24}}$

**09** $\frac{5}{7} \div 12 = \frac{5}{7} \times \frac{1}{\boxed{12}} = \frac{5}{\boxed{84}}$

**10** $\frac{8}{15} \div 14 = \frac{8}{15} \times \frac{1}{\boxed{14}} = \frac{4}{\boxed{105}}$

---

## 계산력 강화하기

정확하게 풀어보아요

🖥 [11~31] 계산을 하세요.

**11** $\frac{2}{3} \div 8 = \frac{2}{3} \times \frac{1}{8} = \frac{1}{12}$

**12** $\frac{3}{7} \div 6 = \frac{3}{7} \times \frac{1}{6} = \frac{1}{14}$

**13** $\frac{1}{4} \div 7 = \frac{1}{4} \times \frac{1}{7} = \frac{1}{28}$

**14** $\frac{5}{6} \div 15 = \frac{5}{6} \times \frac{1}{15} = \frac{1}{18}$

**15** $\frac{3}{7} \div 9 = \frac{3}{7} \times \frac{1}{9} = \frac{1}{21}$

**16** $\frac{5}{8} \div 2 = \frac{5}{8} \times \frac{1}{2} = \frac{5}{16}$

**17** $\frac{7}{10} \div 3 = \frac{7}{10} \times \frac{1}{3} = \frac{7}{30}$

**18** $\frac{4}{9} \div 16 = \frac{4}{9} \times \frac{1}{16} = \frac{1}{36}$

**19** $\frac{11}{13} \div 22 = \frac{11}{13} \times \frac{1}{22} = \frac{1}{26}$

**20** $\frac{3}{10} \div 18 = \frac{3}{10} \times \frac{1}{18} = \frac{1}{60}$

**21** $\frac{2}{11} \div 10 = \frac{2}{11} \times \frac{1}{10} = \frac{1}{55}$

**22** $\frac{5}{12} \div 30 = \frac{5}{12} \times \frac{1}{30} = \frac{1}{72}$

**23** $\frac{12}{13} \div 15 = \frac{12}{13} \times \frac{1}{15} = \frac{4}{65}$

**24** $\frac{4}{15} \div 20 = \frac{4}{15} \times \frac{1}{20} = \frac{1}{75}$

**25** $\frac{9}{14} \div 24 = \frac{9}{14} \times \frac{1}{24} = \frac{3}{112}$

**26** $\frac{9}{16} \div 30 = \frac{9}{16} \times \frac{1}{30} = \frac{1}{160}$

**27** $\frac{13}{20} \div 39 = \frac{13}{20} \times \frac{1}{39} = \frac{1}{60}$

**28** $\frac{4}{9} \div 20 = \frac{4}{9} \times \frac{1}{20} = \frac{1}{45}$

**29** $\frac{22}{25} \div 33 = \frac{22}{25} \times \frac{1}{33} = \frac{2}{75}$

**30** $\frac{20}{23} \div 24 = \frac{20}{23} \times \frac{1}{24} = \frac{5}{138}$

**31** $\frac{15}{16} \div 60 = \frac{15}{16} \times \frac{1}{60} = \frac{1}{64}$

---

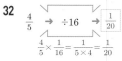

## 구조화 하기

구조화 하기를 연습하면 서술형도 쉽게 풀어요

🐟 [32~43] 빈칸에 알맞은 수를 써넣으세요.

**32** $\frac{4}{5} \rightarrow \div 16 \rightarrow \boxed{\frac{1}{20}}$
$\frac{4}{5} \times \frac{1}{16} = \frac{1}{5 \times 4} = \frac{1}{20}$

**33** $\frac{3}{7} \rightarrow \div 15 \rightarrow \boxed{\frac{1}{35}}$
$\frac{3}{7} \times \frac{1}{15} = \frac{1}{7 \times 5} = \frac{1}{35}$

**34** $\frac{5}{8} \rightarrow \div 55 \rightarrow \boxed{\frac{1}{88}}$
$\frac{5}{8} \times \frac{1}{55} = \frac{1}{8 \times 11} = \frac{1}{88}$

**35** $\frac{4}{9} \rightarrow \div 14 \rightarrow \boxed{\frac{2}{63}}$
$\frac{4}{9} \times \frac{1}{14} = \frac{2}{9 \times 7} = \frac{2}{63}$

**36** $\frac{6}{11} \rightarrow \div 21 \rightarrow \boxed{\frac{2}{77}}$
$\frac{6}{11} \times \frac{1}{21} = \frac{2}{11 \times 7} = \frac{2}{77}$

**37** $\frac{5}{14} \rightarrow \div 10 \rightarrow \boxed{\frac{1}{28}}$
$\frac{5}{14} \times \frac{1}{10} = \frac{1}{14 \times 2} = \frac{1}{28}$

**38** $\frac{10}{13} \rightarrow \div 18 \rightarrow \boxed{\frac{5}{117}}$
$\frac{10}{13} \times \frac{1}{18} = \frac{5}{13 \times 9} = \frac{5}{117}$

**39** $\frac{7}{12} \rightarrow \div 28 \rightarrow \boxed{\frac{1}{48}}$
$\frac{7}{12} \times \frac{1}{28} = \frac{1}{12 \times 4} = \frac{1}{48}$

**40** $\frac{6}{13} \rightarrow \div 21 \rightarrow \boxed{\frac{2}{91}}$
$\frac{6}{13} \times \frac{1}{21} = \frac{2}{13 \times 7} = \frac{2}{91}$

**41** $\frac{3}{14} \rightarrow \div 12 \rightarrow \boxed{\frac{1}{56}}$
$\frac{3}{14} \times \frac{1}{12} = \frac{1}{14 \times 4} = \frac{1}{56}$

**42** $\frac{10}{17} \rightarrow \div 8 \rightarrow \boxed{\frac{5}{68}}$
$\frac{10}{17} \times \frac{1}{8} = \frac{5}{17 \times 4} = \frac{5}{68}$

**43** $\frac{16}{19} \rightarrow \div 40 \rightarrow \boxed{\frac{2}{95}}$
$\frac{16}{19} \times \frac{1}{40} = \frac{2}{19 \times 5} = \frac{2}{95}$

---

## 서술형 풀어보기

구조화 해서 풀어보아요

**44** 민재가 철사를 사용해서 정오각형을 만들었습니다. 사용된 철사의 길이가 $\frac{10}{13}$ m라고 할 때, 정오각형의 한 변의 길이는 몇 m일까요?

**풀이과정**

(1) 정오각형 다섯 변의 길이의 합은 $\boxed{\frac{10}{13}}$ m입니다.

(2) (한 변의 길이)=(다섯 변의 길이의 합)÷ $\boxed{5}$ 입니다.

(3) 그러므로 민재가 만든 정오각형의 한 변의 길이는 $\boxed{\frac{2}{13}}$ m입니다.

$\frac{10}{13} \rightarrow \div 5 \rightarrow \boxed{\frac{2}{13}}$

💡 [45~48] 풀이과정을 쓰고 답을 구하세요.

**45** 다음은 나눗셈을 분수로 나타낸 식입니다. 계산 과정 가운데 틀린 부분이 있으면 바르게 고치고, 계산 결과를 구해보세요.

$\frac{8}{28} \div 16 = \frac{28}{8} \times \frac{1}{16} = \frac{7}{4 \times 16} = \frac{7}{64}$

풀이 바르게 계산: $\frac{8}{28} \times \frac{1}{16} = \frac{1}{28 \times 2} = \frac{1}{56}$

답 $\frac{1}{56}$

**46** 말린 녹차 $\frac{11}{14}$ kg을 22등분하여 티백에 담으려고 합니다. 티백 하나에 몇 g의 말린 녹차를 넣어야 할까요? (계산 결과는 대분수로 나타내세요.)

풀이 $\frac{11}{14} \div 22 = \frac{11}{14} \times \frac{1}{22} = \frac{1}{28}$, kg을 g으로 바꿔야 하므로 $\frac{1}{28} \times 1000 = \frac{250}{7} = 35\frac{5}{7}$

답 $35\frac{5}{7}$ g

**47** $\frac{25}{26}$ km의 담장을 쌓는데 10명이 똑같은 길이로 나누어 쌓으려고 합니다. 1명이 몇 km의 담장을 쌓아야 할까요?

풀이 $\frac{25}{26} \div 10 = \frac{25}{26} \times \frac{1}{10} = \frac{5}{52}$

답 $\frac{5}{52}$ km

**48** 물 $\frac{4}{13}$ L를 6명이 똑같이 나눠 마셨습니다. 한 사람이 마신 물의 양은 몇 L일까요?

풀이 $\frac{4}{13} \div 6 = \frac{4}{13} \times \frac{1}{6} = \frac{2}{39}$

답 $\frac{2}{39}$ L

**연마 Check** 칭찬이나 노력할 점을 써 주세요.

| 맞힌 개수 | | 지도 의견 | |
|---|---|---|---|
| | 개 | 나의 생각 | 확인란 |

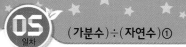

$\dfrac{4}{3} \div 2$ 의 계산

$$\dfrac{4}{3} \div 2 = \dfrac{4 \div 2}{3} = \dfrac{2}{3}$$

→ 분자가 자연수의 배수이므로 분자를 자연수로 나눕니다.

[다른 풀이 방법] $\dfrac{4}{3} \div 2 = \dfrac{4}{3} \times \dfrac{1}{2} = \dfrac{2}{3}$

분자가 자연수의 배수가 아닌 (진분수) ÷ (자연수)의 셈을 할 때 배운 방법처럼 계산을 해도 결과는 같습니다.

**핵심 포인트**
· 분자가 자연수의 배수인 (가분수) ÷ (자연수)의 계산은 나눠지는 수가 (가분수)라는 점만 다를 뿐, 분자가 자연수의 배수인 (진분수) ÷ (자연수)에서 배운 방법과 풀이 방법은 같습니다.

**[01~10] 빈칸에 알맞은 수를 써넣으세요.**

01 $\dfrac{3}{2} \div 3 = \dfrac{3 \div \boxed{3}}{2} = \dfrac{1}{2}$

02 $\dfrac{9}{4} \div 3 = \dfrac{9 \div \boxed{3}}{4} = \dfrac{3}{4}$

03 $\dfrac{10}{3} \div 2 = \dfrac{10 \div \boxed{2}}{3} = \dfrac{5}{3} \left( = 1\dfrac{2}{3} \right)$

04 $\dfrac{15}{4} \div 5 = \dfrac{15 \div \boxed{5}}{4} = \dfrac{3}{4}$

05 $\dfrac{12}{7} \div 4 = \dfrac{12 \div \boxed{4}}{7} = \dfrac{3}{7}$

06 $\dfrac{16}{7} \div 8 = \dfrac{16 \div \boxed{8}}{7} = \dfrac{2}{7}$

07 $\dfrac{22}{9} \div 11 = \dfrac{22 \div \boxed{11}}{9} = \dfrac{2}{9}$

08 $\dfrac{20}{11} \div \boxed{4} = \dfrac{5}{11}$

09 $\dfrac{9}{10} \div \boxed{3} = \dfrac{3}{10}$

10 $\dfrac{24}{13} \div \boxed{3} = \dfrac{8}{13}$

---

**[11~31] 계산을 하세요.**

11 $\dfrac{12}{7} \div 6$
$= \dfrac{12 \div 6}{7} = \dfrac{2}{7}$

12 $\dfrac{18}{5} \div 6$
$= \dfrac{18 \div 6}{5} = \dfrac{3}{5}$

13 $\dfrac{20}{7} \div 5$
$= \dfrac{20 \div 5}{7} = \dfrac{4}{7}$

14 $\dfrac{24}{9} \div 3$
$= \dfrac{24 \div 3}{9} = \dfrac{8}{9}$

15 $\dfrac{39}{10} \div 13$
$= \dfrac{39 \div 13}{10} = \dfrac{3}{10}$

16 $\dfrac{35}{11} \div 5$
$= \dfrac{35 \div 5}{11} = \dfrac{7}{11}$

17 $\dfrac{33}{14} \div 11$
$= \dfrac{33 \div 11}{14} = \dfrac{3}{14}$

18 $\dfrac{14}{13} \div 7$
$= \dfrac{14 \div 7}{13} = \dfrac{2}{13}$

19 $\dfrac{27}{14} \div 9$
$= \dfrac{27 \div 9}{14} = \dfrac{3}{14}$

20 $\dfrac{16}{13} \div 4$
$= \dfrac{16 \div 4}{13} = \dfrac{4}{13}$

21 $\dfrac{28}{15} \div 14$
$= \dfrac{28 \div 14}{15} = \dfrac{2}{15}$

22 $\dfrac{33}{16} \div 3$
$= \dfrac{33 \div 3}{16} = \dfrac{11}{16}$

23 $\dfrac{32}{15} \div 4$
$= \dfrac{32 \div 4}{15} = \dfrac{8}{15}$

24 $\dfrac{20}{17} \div 5$
$= \dfrac{20 \div 5}{17} = \dfrac{4}{17}$

25 $\dfrac{36}{19} \div 6$
$= \dfrac{36 \div 6}{19} = \dfrac{6}{19}$

26 $\dfrac{46}{17} \div 23$
$= \dfrac{46 \div 23}{17} = \dfrac{2}{17}$

27 $\dfrac{42}{19} \div 7$
$= \dfrac{42 \div 7}{19} = \dfrac{6}{19}$

28 $\dfrac{40}{21} \div 5$
$= \dfrac{40 \div 5}{21} = \dfrac{8}{21}$

29 $\dfrac{54}{23} \div 3$
$= \dfrac{54 \div 3}{23} = \dfrac{18}{23}$

30 $\dfrac{56}{17} \div 7$
$= \dfrac{56 \div 7}{17} = \dfrac{8}{17}$

31 $\dfrac{90}{19} \div 10$
$= \dfrac{90 \div 10}{19} = \dfrac{9}{19}$

---

**[32~43] 빈칸에 알맞은 수를 써넣으세요.**

32 $\dfrac{12}{5} \rightarrow \div 3 \rightarrow \dfrac{4}{5}$
$\dfrac{12 \div 3}{5} = \dfrac{4}{5}$

33 $\dfrac{24}{7} \rightarrow \div 6 \rightarrow \dfrac{4}{7}$
$\dfrac{24 \div 6}{7} = \dfrac{4}{7}$

34 $\dfrac{32}{9} \rightarrow \div 16 \rightarrow \dfrac{2}{9}$
$\dfrac{32 \div 16}{9} = \dfrac{2}{9}$

35 $\dfrac{80}{7} \rightarrow \div 16 \rightarrow \dfrac{5}{7}$
$\dfrac{80 \div 16}{7} = \dfrac{5}{7}$

36 $\dfrac{55}{8} \rightarrow \div 11 \rightarrow \dfrac{5}{8}$
$\dfrac{55 \div 11}{8} = \dfrac{5}{8}$

37 $\dfrac{27}{10} \rightarrow \div 3 \rightarrow \dfrac{9}{10}$
$\dfrac{27 \div 3}{10} = \dfrac{9}{10}$

38 $\dfrac{75}{13} \rightarrow \div 5 \rightarrow 1\dfrac{2}{13}$
$\dfrac{75 \div 5}{13} = \dfrac{15}{13} = 1\dfrac{2}{13}$

39 $\dfrac{39}{14} \rightarrow \div 13 \rightarrow \dfrac{3}{14}$
$\dfrac{39 \div 13}{14} = \dfrac{3}{14}$

40 $\dfrac{49}{8} \rightarrow \div 7 \rightarrow \dfrac{7}{8}$
$\dfrac{49 \div 7}{8} = \dfrac{7}{8}$

41 $\dfrac{64}{15} \rightarrow \div 8 \rightarrow \dfrac{8}{15}$
$\dfrac{64 \div 8}{15} = \dfrac{8}{15}$

42 $\dfrac{100}{9} \rightarrow \div 25 \rightarrow \dfrac{4}{9}$
$\dfrac{100 \div 25}{9} = \dfrac{4}{9}$

43 $\dfrac{104}{17} \rightarrow \div 26 \rightarrow \dfrac{4}{17}$
$\dfrac{104 \div 26}{17} = \dfrac{4}{17}$

---

44 직사각형 모양의 화단이 있습니다. 이 화단의 가로의 길이는 9 m이고, 넓이는 $\dfrac{162}{25}$ m²라고 합니다. 세로의 길이는 몇 m일까요?

**풀이과정**

(1) (세로의 길이)＝(직사각형의 넓이)÷( 가로 의 길이)

(2) 계산을 하면 $\dfrac{162}{25}$ ÷ ( 9 ) $= \dfrac{18}{25}$ 입니다.

(3) 그러므로 이 화단의 세로의 길이는 $\dfrac{18}{25}$ m입니다.

$\dfrac{162}{25} \rightarrow \div 9 \rightarrow \dfrac{18}{25}$

**[45~48] 풀이과정을 쓰고 답을 구하세요.**

45 $\dfrac{9}{4}$ m의 털실로 정삼각형을 만들었습니다. 이 정삼각형의 한 변의 길이는 몇 m일까요?

풀이 $\dfrac{9}{4} \div 3 = \dfrac{9 \div 3}{4} = \dfrac{3}{4}$

답 $\dfrac{3}{4}$ m

46 지면으로부터의 높이가 $\dfrac{36}{7}$ m인 계단이 있습니다. 일정한 높이로 있는 계단의 개수는 모두 12개라고 합니다. 이 계단 한 개의 높이는 몇 m일까요?

풀이 $\dfrac{36}{7} \div 12 = \dfrac{36 \div 12}{7} = \dfrac{3}{7}$

답 $\dfrac{3}{7}$ m

47 어느 평행사변형의 넓이는 $\dfrac{50}{11}$ cm²입니다. 이 평행사변형의 밑변의 길이가 5 cm라 할 때, 높이의 길이는 몇 cm일까요?

풀이 $\dfrac{50}{11} \div 5 = \dfrac{50 \div 5}{11} = \dfrac{10}{11}$

답 $\dfrac{10}{11}$ cm

48 같은 길이의 철사 4개를 이어 놓아, 둘레의 길이가 $\dfrac{48}{13}$ cm인 정사각형을 만들었습니다. 철사 1개의 길이는 몇 cm일까요?

풀이 $\dfrac{48}{13} \div 4 = \dfrac{48 \div 4}{13} = \dfrac{12}{13}$

답 $\dfrac{12}{13}$ cm

연마 Check 칭찬이나 노력할 것을 써 주세요.

| 맞힌 개수 | 지도 의견 | | 확인란 |
|---|---|---|---|
| 개 | 나의 생각 | | |

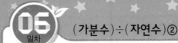 

## 06 일차 (가분수)÷(자연수)②

월 일

$\dfrac{8}{3} \div 6$ 의 계산

$\rightarrow \dfrac{8}{3} \div 6 = \dfrac{8}{3} \times \dfrac{1}{6} = \dfrac{4 \times 1}{3 \times 3} = \dfrac{4}{9}$

→ 분자가 자연수의 배수가 아닌 (가분수)÷(자연수)의 계산은 나누는 수인 자연수를 $\dfrac{1}{(자연수)}$ 로 고쳐 계산합니다.

$\div 6 \rightarrow \times \dfrac{1}{6}$

**핵심포인트**

• 약분이 필요한 경우: 계산 과정 중에 약분을 해도 되고, 계산을 마친 후에 약분을 해도 됩니다.

$\dfrac{8}{3} \div 6 = \dfrac{8}{3} \times \dfrac{1}{6} = \dfrac{8 \times 1}{3 \times 6}$
$= \dfrac{8}{18} = \dfrac{4}{9}$

약분

**[01~10] 빈칸에 알맞은 수를 써넣으세요.**

01 $\dfrac{7}{2} \div 3 = \dfrac{7}{2} \times \dfrac{1}{\boxed{3}} = \dfrac{\boxed{7}}{6} \left(= 1\dfrac{1}{6}\right)$

06 $\dfrac{15}{4} \div 9 = \dfrac{15}{4} \times \dfrac{1}{\boxed{9}} = \dfrac{\boxed{5}}{12}$

02 $\dfrac{11}{3} \div 2 = \dfrac{11}{3} \times \dfrac{1}{\boxed{2}} = \dfrac{\boxed{11}}{6} \left(= 1\dfrac{5}{6}\right)$

07 $\dfrac{16}{3} \div 10 = \dfrac{16}{3} \times \dfrac{1}{\boxed{10}} = \dfrac{8}{\boxed{15}}$

03 $\dfrac{9}{4} \div 12 = \dfrac{9}{4} \times \dfrac{1}{\boxed{12}} = \dfrac{3}{\boxed{16}}$

08 $\dfrac{21}{4} \div 15 = \dfrac{21}{4} \times \dfrac{1}{\boxed{15}} = \dfrac{7}{\boxed{20}}$

04 $\dfrac{14}{5} \div 6 = \dfrac{14}{5} \times \dfrac{1}{\boxed{6}} = \dfrac{7}{\boxed{15}}$

09 $\dfrac{8}{7} \div 10 = \dfrac{8}{7} \times \dfrac{1}{\boxed{10}} = \dfrac{4}{\boxed{35}}$

05 $\dfrac{7}{3} \div 8 = \dfrac{7}{3} \times \dfrac{1}{\boxed{8}} = \dfrac{7}{\boxed{24}}$

10 $\dfrac{11}{6} \div 5 = \dfrac{11}{6} \times \dfrac{1}{\boxed{5}} = \dfrac{11}{\boxed{30}}$

---

## 계산력 강화하기

정확하게 풀어봐요

**[11~31] 계산을 하세요.(계산 결과가 가분수이면 대분수로 고치세요.)**

11 $\dfrac{4}{3} \div 6$
$= \dfrac{4}{3} \times \dfrac{1}{6} = \dfrac{2}{9}$

18 $\dfrac{5}{3} \div 4$
$= \dfrac{5}{3} \times \dfrac{1}{4} = \dfrac{5}{12}$

25 $\dfrac{25}{12} \div 35$
$= \dfrac{25}{12} \times \dfrac{1}{35} = \dfrac{5}{84}$

12 $\dfrac{7}{2} \div 2$
$= \dfrac{7}{2} \times \dfrac{1}{2} = \dfrac{7}{4} = 1\dfrac{3}{4}$

19 $\dfrac{7}{6} \div 5$
$= \dfrac{7}{6} \times \dfrac{1}{5} = \dfrac{7}{30}$

26 $\dfrac{22}{3} \div 8$
$= \dfrac{22}{3} \times \dfrac{1}{8} = \dfrac{11}{12}$

13 $\dfrac{6}{5} \div 8$
$= \dfrac{6}{5} \times \dfrac{1}{8} = \dfrac{3}{20}$

20 $\dfrac{9}{8} \div 6$
$= \dfrac{9}{8} \times \dfrac{1}{6} = \dfrac{3}{16}$

27 $\dfrac{12}{5} \div 9$
$= \dfrac{12}{5} \times \dfrac{1}{9} = \dfrac{4}{15}$

14 $\dfrac{9}{4} \div 15$
$= \dfrac{9}{4} \times \dfrac{1}{15} = \dfrac{3}{20}$

21 $\dfrac{13}{10} \div 6$
$= \dfrac{13}{10} \times \dfrac{1}{6} = \dfrac{13}{60}$

28 $\dfrac{22}{13} \div 33$
$= \dfrac{22}{13} \times \dfrac{1}{33} = \dfrac{2}{39}$

15 $\dfrac{8}{5} \div 12$
$= \dfrac{8}{5} \times \dfrac{1}{12} = \dfrac{2}{15}$

22 $\dfrac{10}{9} \div 4$
$= \dfrac{10}{9} \times \dfrac{1}{4} = \dfrac{5}{18}$

29 $\dfrac{18}{5} \div 8$
$= \dfrac{18}{5} \times \dfrac{1}{8} = \dfrac{9}{20}$

16 $\dfrac{7}{3} \div 14$
$= \dfrac{7}{3} \times \dfrac{1}{14} = \dfrac{1}{6}$

23 $\dfrac{14}{9} \div 21$
$= \dfrac{14}{9} \times \dfrac{1}{21} = \dfrac{2}{27}$

30 $\dfrac{24}{7} \div 9$
$= \dfrac{24}{7} \times \dfrac{1}{9} = \dfrac{8}{21}$

17 $\dfrac{11}{4} \div 3$
$= \dfrac{11}{4} \times \dfrac{1}{3} = \dfrac{11}{12}$

24 $\dfrac{11}{10} \div 3$
$= \dfrac{11}{10} \times \dfrac{1}{3} = \dfrac{11}{30}$

31 $\dfrac{21}{10} \div 35$
$= \dfrac{21}{10} \times \dfrac{1}{35} = \dfrac{3}{50}$

---

## 구조화 하기

구조화 하기를 연습하면 서술형도 쉽게 풀어요

**[32~43] 나눗셈의 몫의 크기를 비교하여 ◯ 안에 >, =, <를 알맞게 써넣으세요.**

32 $\dfrac{3}{2} \div 6$ ◯< $\dfrac{14}{5} \div 6$
$\dfrac{1}{4} < \dfrac{7}{15}$

38 $\dfrac{13}{9} \div 3$ ◯> $\dfrac{25}{6} \div 15$
$\dfrac{13}{27} > \dfrac{5}{18}$

33 $\dfrac{11}{4} \div 3$ ◯> $\dfrac{18}{5} \div 6$
$\dfrac{11}{12} > \dfrac{3}{5}$

39 $\dfrac{27}{8} \div 9$ ◯> $\dfrac{12}{5} \div 16$
$\dfrac{3}{8} > \dfrac{3}{20}$

34 $\dfrac{7}{2} \div 3$ ◯> $\dfrac{8}{5} \div 4$
$\dfrac{7}{6} > \dfrac{2}{5}$

40 $\dfrac{31}{10} \div 4$ ◯> $\dfrac{33}{8} \div 6$
$\dfrac{31}{40} > \dfrac{11}{16}$

35 $\dfrac{11}{5} \div 4$ ◯> $\dfrac{8}{3} \div 16$
$\dfrac{11}{20} > \dfrac{1}{6}$

41 $\dfrac{15}{7} \div 10$ ◯< $\dfrac{37}{10} \div 7$
$\dfrac{3}{14} < \dfrac{37}{70}$

36 $\dfrac{9}{7} \div 11$ ◯< $\dfrac{15}{4} \div 3$
$\dfrac{9}{77} < 1\dfrac{1}{4}$

42 $\dfrac{18}{5} \div 10$ ◯< $\dfrac{22}{9} \div 3$
$\dfrac{9}{25} < \dfrac{22}{27}$

37 $\dfrac{16}{5} \div 6$ ◯> $\dfrac{10}{7} \div 12$
$\dfrac{8}{15} > \dfrac{5}{42}$

43 $\dfrac{27}{14} \div 6$ ◯> $\dfrac{35}{16} \div 20$
$\dfrac{9}{28} > \dfrac{7}{64}$

---

## 서술형 풀어보기

구조화 해서 풀어보아요

44 호박죽 $\dfrac{24}{7}$ L를 9개의 그릇에 똑같이 담으려고 합니다. 한 그릇에 몇 L의 호박죽을 담을 수 있을까요?

**풀이과정**

(1) 식을 세우면 (호박죽 전체의 양)÷(그릇의 개수)이므로 $\boxed{\dfrac{24}{7}} \div 9$ 입니다.

(2) 계산을 하면 $\boxed{\dfrac{8}{21}}$ L입니다.

$\dfrac{24}{7} \div 9 = \dfrac{24}{7} \times \dfrac{1}{\boxed{9}} = \dfrac{8}{\boxed{21}}$

**[45~48] 풀이과정을 쓰고 답을 구하세요.**

45 $\dfrac{26}{5}$ kg의 닭고기를 4마리의 사자에게 똑같이 나눠주려고 합니다. 한 마리에게 몇 kg씩 나눠줄 수 있을까요?

풀이 $\dfrac{26}{5} \div 4 = \dfrac{26}{5} \times \dfrac{1}{4} = \dfrac{13}{10}$

답 $\dfrac{13}{10}$ 또는 $1\dfrac{3}{10}$ kg

47 $\dfrac{15}{2}$ km의 털실을 9등분하여 9개의 봉투에 넣는다면 봉투 한 개에 들어가는 털실은 몇 km일까요?

풀이 $\dfrac{15}{2} \div 9 = \dfrac{15}{2} \times \dfrac{1}{9} = \dfrac{5}{6}$

답 $\dfrac{5}{6}$ km

46 둘레가 $\dfrac{16}{7}$ m인 정삼각형이 있습니다. 이 정삼각형의 한 변의 길이는 몇 m일까요?

풀이 $\dfrac{16}{7} \div 3 = \dfrac{16}{7} \times \dfrac{1}{3} = \dfrac{16}{21}$

답 $\dfrac{16}{21}$ m

48 단팥빵을 만드는데 팥소의 양이 똑같이 들어갑니다. $\dfrac{57}{4}$ kg의 팥소를 사용해 모두 90개의 단팥빵을 만들었을 때, 단팥빵 한 개에 들어가는 팥소의 양은 몇 g일까요?

풀이 $\dfrac{57}{4} \div 90 = \dfrac{57}{4} \times \dfrac{1}{90} = \dfrac{19}{120}$ 여기서 $\dfrac{19}{120}$

kg을 g으로 바꾸려면 $\dfrac{19}{120} \times 1000$

$= \dfrac{475}{3} = 158\dfrac{1}{3}$

답 $\dfrac{475}{3}$ 또는 $158\dfrac{1}{3}$ g

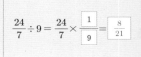

**연마 Check** 칭찬이나 노력할 점을 써 주세요.

| 맞힌 개수 | 지도 의견 | | |
|---|---|---|---|
| 개 | 나의 생각 | | 확인란 |

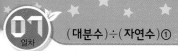

● 분자가 자연수의 배수인 (대분수) ÷ (자연수)

→ $4\frac{1}{2} \div 3 = \frac{9}{2} \div 3 = \frac{9 \div 3}{2} = \frac{3}{2} = 1\frac{1}{2}$

①대분수를 가분수로 고칩니다.　③가분수를 대분수로 고칩니다.

②9가 3의 배수이기 때문에 분자를 자연수로 나눕니다.

**핵심 포인트**

· (대분수) ÷ (자연수)의 계산
① 대분수를 가분수로 고칩니다.
⇒ $4\frac{1}{2} = \frac{2 \times 4 + 1}{2} = \frac{9}{2}$
② 분자가 자연수의 배수라면, 분자와 자연수를 나눕니다.
⇒ $\frac{9}{2} \div 3 = \frac{9 \div 3}{2} = \frac{3}{2}$
③ 계산 결과가 가분수이면, 대분수로 고칩니다. ⇒ $\frac{3}{2} = 1\frac{1}{2}$

[01~15] 계산을 하세요. (계산 결과가 가분수가 되면, 대분수로 고치세요.)

01 $1\frac{2}{3} \div 5$
$= \frac{5 \div 5}{3} = \frac{1}{3}$

02 $2\frac{2}{5} \div 3$
$= \frac{12 \div 3}{5} = \frac{4}{5}$

03 $3\frac{3}{4} \div 3$
$= \frac{15 \div 3}{4} = \frac{5}{4} = 1\frac{1}{4}$

04 $2\frac{2}{7} \div 4$
$= \frac{16 \div 4}{7} = \frac{4}{7}$

05 $2\frac{4}{5} \div 7$
$= \frac{14 \div 7}{5} = \frac{2}{5}$

06 $3\frac{1}{8} \div 5$
$= \frac{25 \div 5}{8} = \frac{5}{8}$

07 $2\frac{2}{9} \div 4$
$= \frac{20 \div 4}{9} = \frac{5}{9}$

08 $1\frac{1}{3} \div 2$
$= \frac{4 \div 2}{3} = \frac{2}{3}$

09 $3\frac{3}{5} \div 6$
$= \frac{18 \div 6}{5} = \frac{3}{5}$

10 $5\frac{5}{6} \div 5$
$= \frac{35 \div 5}{6} = \frac{7}{6} = 1\frac{1}{6}$

11 $1\frac{2}{7} \div 3$
$= \frac{9 \div 3}{7} = \frac{3}{7}$

12 $4\frac{2}{5} \div 11$
$= \frac{22 \div 11}{5} = \frac{2}{5}$

13 $7\frac{1}{2} \div 5$
$= \frac{15 \div 5}{2} = \frac{3}{2} = 1\frac{1}{2}$

14 $2\frac{5}{8} \div 3$
$= \frac{21 \div 3}{8} = \frac{7}{8}$

15 $3\frac{5}{9} \div 8$
$= \frac{32 \div 8}{9} = \frac{4}{9}$

---

**계산력 강화하기** 　정확하게 풀어보아요

[16~39] 계산을 하세요.

16 $1\frac{1}{5} \div 3$
$= \frac{6 \div 3}{5} = \frac{2}{5}$

17 $1\frac{1}{7} \div 2$
$= \frac{8 \div 2}{7} = \frac{4}{7}$

18 $5\frac{5}{6} \div 7$
$= \frac{35 \div 7}{6} = \frac{5}{6}$

19 $2\frac{4}{7} \div 2$
$= \frac{18 \div 2}{7} = \frac{9}{7} = 1\frac{2}{7}$

20 $2\frac{4}{5} \div 7$
$= \frac{14 \div 7}{5} = \frac{2}{5}$

21 $3\frac{3}{4} \div 5$
$= \frac{15 \div 5}{4} = \frac{3}{4}$

22 $6\frac{2}{3} \div 5$
$= \frac{20 \div 5}{3} = \frac{4}{3} = 1\frac{1}{3}$

23 $10\frac{1}{2} \div 3$
$= \frac{21 \div 3}{2} = \frac{7}{2} = 3\frac{1}{2}$

24 $4\frac{3}{8} \div 7$
$= \frac{35 \div 7}{8} = \frac{5}{8}$

25 $2\frac{4}{9} \div 11$
$= \frac{22 \div 11}{9} = \frac{2}{9}$

26 $3\frac{3}{10} \div 3$
$= \frac{33 \div 3}{10} = \frac{11}{10} = 1\frac{1}{10}$

27 $5\frac{5}{8} \div 9$
$= \frac{45 \div 9}{8} = \frac{5}{8}$

28 $2\frac{2}{11} \div 8$
$= \frac{24 \div 8}{11} = \frac{3}{11}$

29 $7\frac{1}{5} \div 6$
$= \frac{36 \div 6}{5} = \frac{6}{5} = 1\frac{1}{5}$

30 $4\frac{4}{7} \div 4$
$= \frac{32 \div 4}{7} = \frac{8}{7} = 1\frac{1}{7}$

31 $8\frac{4}{11} \div 11$
$= \frac{44 \div 11}{11} = \frac{4}{11}$

32 $5\frac{1}{2} \div 11$
$= \frac{11 \div 11}{2} = \frac{1}{2}$

33 $5\frac{1}{4} \div 7$
$= \frac{21 \div 7}{4} = \frac{3}{4}$

34 $7\frac{1}{7} \div 10$
$= \frac{50 \div 10}{7} = \frac{5}{7}$

35 $12\frac{2}{3} \div 2$
$= \frac{38 \div 2}{3} = \frac{19}{3} = 6\frac{1}{3}$

36 $8\frac{1}{6} \div 7$
$= \frac{49 \div 7}{6} = \frac{7}{6} = 1\frac{1}{6}$

37 $5\frac{7}{9} \div 4$
$= \frac{52 \div 4}{9} = \frac{13}{9} = 1\frac{4}{9}$

38 $2\frac{1}{10} \div 7$
$= \frac{21 \div 7}{10} = \frac{3}{10}$

39 $3\frac{3}{13} \div 6$
$= \frac{42 \div 6}{13} = \frac{7}{13}$

---

**구조화 하기** 　구조화 하기를 연습하면서 서술형도 쉽게 풀어요

[40~51] 빈칸에 알맞은 수를 써넣으세요.

40
$3\frac{4}{7}$ ÷5 $\frac{5}{7}$
$\frac{25 \div 5}{7} = \frac{5}{7}$

41
$6\frac{1}{8}$ ÷7 $\frac{7}{8}$
$\frac{49 \div 7}{8} = \frac{7}{8}$

42
$10\frac{1}{2}$ ÷7 $1\frac{1}{2}$
$\frac{21 \div 7}{2} = \frac{3}{2} = 1\frac{1}{2}$

43
$9\frac{1}{6}$ ÷5 $1\frac{5}{6}$
$\frac{55 \div 5}{6} = \frac{11}{6} = 1\frac{5}{6}$

44
$4\frac{4}{9}$ ÷10 $\frac{4}{9}$
$\frac{40 \div 10}{9} = \frac{4}{9}$

45
$12\frac{6}{5}$ ÷22 $\frac{3}{5}$
$\frac{66 \div 22}{5} = \frac{3}{5}$

46
$7\frac{2}{9}$ ÷5 $1\frac{4}{9}$
$\frac{65 \div 5}{9} = \frac{13}{9} = 1\frac{4}{9}$

47
$4\frac{2}{11}$ ÷23 $\frac{2}{11}$
$\frac{46 \div 23}{11} = \frac{2}{11}$

48
$4\frac{4}{15}$ ÷8 $\frac{8}{15}$
$\frac{64 \div 8}{15} = \frac{8}{15}$

49
$6\frac{1}{8}$ ÷7 $\frac{7}{8}$
$\frac{49 \div 7}{8} = \frac{7}{8}$

50
$2\frac{2}{13}$ ÷4 $\frac{7}{13}$
$\frac{28 \div 4}{13} = \frac{7}{13}$

51
$5\frac{1}{4}$ ÷3 $1\frac{3}{4}$
$\frac{21 \div 3}{4} = \frac{7}{4} = 1\frac{3}{4}$

---

**서술형 풀어보기** 　구조화 해서 풀어보아요

52 넓이가 $9\frac{1}{3}$ cm²인 직사각형이 있습니다. 이 직사각형의 가로의 길이가 4 cm일 때, 세로의 길이를 구하세요.

**풀이과정**

(1) (직사각형의 넓이)=(가로)×(세로)이므로,

(세로의 길이)= $9\frac{1}{3}$ ÷ $4$ = $2\frac{1}{3}$ 로 계산할 수 있습니다.

(2) 그러므로 직사각형의 세로의 길이는 $2\frac{1}{3}$ cm입니다. 또는 $\frac{7}{3}$

 $9\frac{1}{3}$ ÷4 $2\frac{1}{3}$

[53~56] 풀이과정을 쓰고 답을 구하세요.

53 설탕 $6\frac{3}{7}$ kg을 5등분하여 유리병 5개에 담았습니다. 유리병 하나에는 몇 kg의 설탕을 넣을 수 있을까요?

풀이 $6\frac{3}{7} \div 5 = \frac{45}{7} \div 5 = \frac{45 \div 5}{7}$
$= \frac{9}{7} = 1\frac{2}{7}$

답 $1\frac{2}{7}$ kg

54 넓이가 $12\frac{3}{5}$ km²인 평행사변형 모양의 양 울타리가 있습니다. 이 울타리의 밑변의 길이가 7 km일 때, 높이는 몇 km일까요?

풀이 $12\frac{3}{5} \div 7 = \frac{63}{5} \div 7 = \frac{63 \div 7}{5}$
$= \frac{9}{5} = 1\frac{4}{5}$

답 $1\frac{4}{5}$ km

55 둘레의 길이가 $8\frac{8}{9}$ m인 정사각형이 있습니다. 이 정사각형의 한 변의 길이는 몇 m일까요?

풀이 $8\frac{8}{9} \div 4 = \frac{80}{9} \div 4 = \frac{80 \div 4}{9}$
$= \frac{20}{9} = 2\frac{2}{9}$

답 $2\frac{2}{9}$ m

56 집에 친구들을 초대해서 $1\frac{7}{11}$ L의 우유를 6명이 똑같이 나눠 마셨습니다. 한 명이 마신 우유는 몇 L일까요?

풀이 $1\frac{7}{11} \div 6 = \frac{18}{11} \div 6 = \frac{18 \div 6}{11} = \frac{3}{11}$

답 $\frac{3}{11}$ L

**연마 Check** 　칭찬이나 보게할 것을 써 주세요.

| 맞힌 개수 | 지도 의견 | | |
|---|---|---|---|
| 　개 | 나의 생각 | | 확인란 |

# (대분수)÷(자연수)②

월    일

● 분자가 자연수의 배수가 아닌 (대분수)÷(자연수)

→ $3\dfrac{1}{2} \div 5 = \dfrac{7}{2} \div 5 = \dfrac{7}{2} \times \dfrac{1}{5} = \dfrac{7}{10}$

① 대분수를 가분수로
고칩니다.
② ÷(자연수)를 $\times \dfrac{1}{(자연수)}$ 로 고칩니다.

**핵심포인트**
• (대분수)÷(자연수)의 계산
① 대분수를 가분수로 고칩니다.
⇨ $3\dfrac{1}{2} = \dfrac{2\times3+1}{2} = \dfrac{7}{2}$
② 분자가 자연수의 배수가 아니라면,
÷자연수를 $\times \dfrac{1}{(자연수)}$ 로 고칩니다.
⇨ $\dfrac{7}{2} \div 5 = \dfrac{7}{2} \times \dfrac{1}{5}$
③ 계산 결과가 가분수라면, 대분수로 고칩니다.

⏳ [01~15] 계산을 하세요.

**01** $1\dfrac{1}{2} \div 4$
$= \dfrac{3}{2} \times \dfrac{1}{4} = \dfrac{3}{8}$

**06** $4\dfrac{2}{3} \div 4$
$= \dfrac{14}{3} \times \dfrac{1}{4} = \dfrac{7}{6} = 1\dfrac{1}{6}$

**11** $5\dfrac{1}{4} \div 6$
$= \dfrac{21}{4} \times \dfrac{1}{6} = \dfrac{7}{8}$

**02** $2\dfrac{1}{3} \div 5$
$= \dfrac{7}{3} \times \dfrac{1}{5} = \dfrac{7}{15}$

**07** $8\dfrac{2}{5} \div 8$
$= \dfrac{42}{5} \times \dfrac{1}{8} = \dfrac{21}{20} = 1\dfrac{1}{20}$

**12** $2\dfrac{1}{6} \div 39$
$= \dfrac{13}{6} \times \dfrac{1}{39} = \dfrac{1}{18}$

**03** $2\dfrac{2}{5} \div 7$
$= \dfrac{12}{5} \times \dfrac{1}{7} = \dfrac{12}{35}$

**08** $3\dfrac{1}{6} \div 3$
$= \dfrac{19}{6} \times \dfrac{1}{3} = \dfrac{19}{18} = 1\dfrac{1}{18}$

**13** $6\dfrac{3}{5} \div 15$
$= \dfrac{33}{5} \times \dfrac{1}{15} = \dfrac{11}{25}$

**04** $5\dfrac{2}{3} \div 2$
$= \dfrac{17}{3} \times \dfrac{1}{2} = \dfrac{17}{6} = 2\dfrac{5}{6}$

**09** $4\dfrac{4}{5} \div 10$
$= \dfrac{24}{5} \times \dfrac{1}{10} = \dfrac{12}{25}$

**14** $8\dfrac{1}{3} \div 10$
$= \dfrac{25}{3} \times \dfrac{1}{10} = \dfrac{5}{6}$

**05** $3\dfrac{1}{7} \div 4$
$= \dfrac{22}{7} \times \dfrac{1}{4} = \dfrac{11}{14}$

**10** $6\dfrac{3}{4} \div 12$
$= \dfrac{27}{4} \times \dfrac{1}{12} = \dfrac{9}{16}$

**15** $3\dfrac{1}{7} \div 6$
$= \dfrac{22}{7} \times \dfrac{1}{6} = \dfrac{11}{21}$

---

🖩 [16~36] 계산을 하세요.

**16** $5\dfrac{1}{3} \div 6$
$= \dfrac{16}{3} \times \dfrac{1}{6} = \dfrac{8}{9}$

**23** $2\dfrac{4}{9} \div 4$
$= \dfrac{22}{9} \times \dfrac{1}{4} = \dfrac{11}{18}$

**30** $9\dfrac{1}{6} \div 15$
$= \dfrac{55}{6} \times \dfrac{1}{15} = \dfrac{11}{18}$

**17** $5\dfrac{1}{5} \div 4$
$= \dfrac{26}{5} \times \dfrac{1}{4} = \dfrac{13}{10} = 1\dfrac{3}{10}$

**24** $5\dfrac{3}{10} \div 8$
$= \dfrac{53}{10} \times \dfrac{1}{8} = \dfrac{53}{80}$

**31** $13\dfrac{1}{2} \div 12$
$= \dfrac{27}{2} \times \dfrac{1}{12} = \dfrac{9}{8} = 1\dfrac{1}{8}$

**18** $3\dfrac{5}{7} \div 6$
$= \dfrac{26}{7} \times \dfrac{1}{6} = \dfrac{13}{21}$

**25** $4\dfrac{3}{8} \div 10$
$= \dfrac{35}{8} \times \dfrac{1}{10} = \dfrac{7}{16}$

**32** $5\dfrac{3}{5} \div 8$
$= \dfrac{28}{5} \times \dfrac{1}{8} = \dfrac{7}{10}$

**19** $2\dfrac{3}{8} \div 2$
$= \dfrac{19}{8} \times \dfrac{1}{2} = \dfrac{19}{16} = 1\dfrac{3}{16}$

**26** $3\dfrac{3}{7} \div 16$
$= \dfrac{24}{7} \times \dfrac{1}{16} = \dfrac{3}{14}$

**33** $7\dfrac{2}{9} \div 10$
$= \dfrac{65}{9} \times \dfrac{1}{10} = \dfrac{13}{18}$

**20** $4\dfrac{2}{7} \div 8$
$= \dfrac{30}{7} \times \dfrac{1}{8} = \dfrac{15}{28}$

**27** $4\dfrac{2}{11} \div 6$
$= \dfrac{46}{11} \times \dfrac{1}{6} = \dfrac{23}{33}$

**34** $2\dfrac{11}{12} \div 14$
$= \dfrac{35}{12} \times \dfrac{1}{14} = \dfrac{5}{24}$

**21** $4\dfrac{1}{6} \div 15$
$= \dfrac{25}{6} \times \dfrac{1}{15} = \dfrac{5}{18}$

**28** $6\dfrac{4}{5} \div 4$
$= \dfrac{34}{5} \times \dfrac{1}{4} = \dfrac{17}{10} = 1\dfrac{7}{10}$

**35** $6\dfrac{3}{10} \div 18$
$= \dfrac{63}{10} \times \dfrac{1}{18} = \dfrac{7}{20}$

**22** $3\dfrac{3}{5} \div 4$
$= \dfrac{18}{5} \times \dfrac{1}{4} = \dfrac{9}{10}$

**29** $3\dfrac{9}{11} \div 12$
$= \dfrac{42}{11} \times \dfrac{1}{12} = \dfrac{7}{22}$

**36** $2\dfrac{4}{13} \div 8$
$= \dfrac{30}{13} \times \dfrac{1}{8} = \dfrac{15}{52}$

---

🐋 [37~44] 빈칸에 알맞은 수를 써넣으세요.

**37**

| | ÷ | |
|---|---|---|
| $3\dfrac{3}{4}$ | 10 | $\dfrac{3}{8}$ |
| ÷ | | |
| 3 | $\dfrac{15}{4} \div 10 = \dfrac{15}{4} \times \dfrac{1}{10} = \dfrac{3}{4\times2} = \dfrac{3}{8}$ | |
| $1\dfrac{1}{4}$ | $\dfrac{15}{4} \div 3 = \dfrac{5}{4} = 1\dfrac{1}{4}$ | |

**38**

| | ÷ | |
|---|---|---|
| $6\dfrac{2}{3}$ | 5 | $1\dfrac{1}{3}$ |
| ÷ | | |
| 15 | $\dfrac{20}{3} \div 5 = \dfrac{4}{3} = 1\dfrac{1}{3}$ | |
| $\dfrac{4}{9}$ | $\dfrac{20}{3} \div 15 = \dfrac{20}{3} \times \dfrac{1}{15} = \dfrac{4}{3\times3} = \dfrac{4}{9}$ | |

**39**

| | ÷ | |
|---|---|---|
| $7\dfrac{1}{5}$ | 14 | $\dfrac{18}{35}$ |
| ÷ | | |
| 9 | $\dfrac{36}{5} \div 14 = \dfrac{36}{5} \times \dfrac{1}{14} = \dfrac{18}{5\times7} = \dfrac{18}{35}$ | |
| $\dfrac{4}{5}$ | $\dfrac{36}{5} \div 9 = \dfrac{4}{5}$ | |

**40**

| | ÷ | |
|---|---|---|
| $5\dfrac{7}{9}$ | 2 | $2\dfrac{8}{9}$ |
| ÷ | | |
| 8 | $\dfrac{52 \div 2}{9} = \dfrac{26}{9} = 2\dfrac{8}{9}$ | |
| $\dfrac{13}{18}$ | $\dfrac{52}{9} \div 8 = \dfrac{52}{9} \times \dfrac{1}{8} = \dfrac{13}{9\times2} = \dfrac{13}{18}$ | |

**41**

| | ÷ | |
|---|---|---|
| $4\dfrac{2}{7}$ | 5 | $\dfrac{6}{7}$ |
| ÷ | | |
| 7 | $\dfrac{30 \div 5}{7} = \dfrac{6}{7}$ | |
| $\dfrac{30}{49}$ | $\dfrac{30}{7} \div 7 = \dfrac{30}{7} \times \dfrac{1}{7} = \dfrac{30}{49}$ | |

**42**

| | ÷ | |
|---|---|---|
| $7\dfrac{1}{7}$ | 20 | $\dfrac{5}{14}$ |
| ÷ | | |
| 10 | $\dfrac{50}{7} \div 20 = \dfrac{50}{7} \times \dfrac{1}{20} = \dfrac{5}{7\times2} = \dfrac{5}{14}$ | |
| $\dfrac{5}{7}$ | $\dfrac{50}{7} \div 10 = \dfrac{5}{7}$ | |

**43**

| | ÷ | |
|---|---|---|
| $3\dfrac{2}{11}$ | 15 | $\dfrac{7}{33}$ |
| ÷ | | |
| 7 | $\dfrac{35}{11} \div 15 = \dfrac{35}{11} \times \dfrac{1}{15} = \dfrac{7}{11\times3} = \dfrac{7}{33}$ | |
| $\dfrac{5}{11}$ | $\dfrac{35}{11} \div 7 = \dfrac{5}{11}$ | |

**44**

| | ÷ | |
|---|---|---|
| $4\dfrac{9}{10}$ | 7 | $\dfrac{7}{10}$ |
| ÷ | | |
| 3 | $\dfrac{49 \div 7}{10} = \dfrac{7}{10}$ | |
| $1\dfrac{19}{30}$ | $\dfrac{49}{10} \div 3 = \dfrac{49}{10} \times \dfrac{1}{3} = \dfrac{49}{30} = 1\dfrac{19}{30}$ | |

---

**45** 무게가 똑같은 금덩이 6개의 무게의 합이 $5\dfrac{1}{3}$ kg이라고 합니다. 이 금덩이 1개의 무게는 몇 kg일까요?

**풀이과정**

(1) (금덩이 한 개의 무게) = $\boxed{5\dfrac{1}{3}}$ ÷ $\boxed{6}$ 입니다.

(2) 계산을 하면 $\boxed{\dfrac{8}{9}}$ kg입니다.

• $5\dfrac{1}{3} \div 6 = \dfrac{\boxed{16}}{3} \div \boxed{6} = \dfrac{\boxed{16}}{3} \times \dfrac{1}{\boxed{6}}$
$= \boxed{\dfrac{8}{9}}$

💡 [46~49] 풀이과정을 쓰고 답을 구하세요.

**46** 참기름 $4\dfrac{1}{5}$ L를 9병에 똑같이 나누어 담는다면, 한 병에 몇 L의 참기름이 들어갈까요?

풀이 $4\dfrac{1}{5} \div 9 = \dfrac{21}{5} \div 9 = \dfrac{21}{5} \times \dfrac{1}{9} = \dfrac{7}{15}$

답 $\dfrac{7}{15}$ L

**47** 길이가 $2\dfrac{1}{8}$ m의 철사를 삼등분하여 정삼각형을 만들려고 합니다. 이 정삼각형 한 변의 길이는 몇 m가 될까요?

풀이 $2\dfrac{1}{8} \div 3 = \dfrac{17}{8} \times \dfrac{1}{3} = \dfrac{17}{24}$

답 $\dfrac{17}{24}$ m

**48** 무게와 크기가 똑같은 토끼 인형 30개의 무게는 $7\dfrac{7}{9}$ kg입니다. 토끼 인형 한 개의 무게는 몇 kg일까요?

풀이 $7\dfrac{7}{9} \div 30 = \dfrac{70}{9} \times \dfrac{1}{30} = \dfrac{7}{27}$

답 $\dfrac{7}{27}$ kg

**49** 무게가 $3\dfrac{3}{10}$ kg인 초콜릿을 22등분하여 포장하였습니다. 포장한 초콜릿 2개의 무게는 몇 kg일까요?

풀이 $3\dfrac{3}{10} \div 22 \times 2 = \dfrac{33}{10} \times \dfrac{1}{22} \times 2$
$= \dfrac{3}{20} \times 2 = \dfrac{3}{10}$

답 $\dfrac{3}{10}$ kg

**연마 Check** 칭찬이나 노력할 점을 써 주세요.

| 맞힌 개수 | 지도 의견 | |
|---|---|---|
| | | 확인란 |
| 개 | 나의 생각 | |

# 각기둥과 각뿔 알아보기

월 일

- **각기둥**: 밑면의 모양에 따라 삼각기둥, 사각기둥, 오각기둥, ... 이라고 합니다.

- **각뿔**: 밑면의 모양에 따라 삼각뿔, 사각뿔, 오각뿔, ... 이라고 합니다.

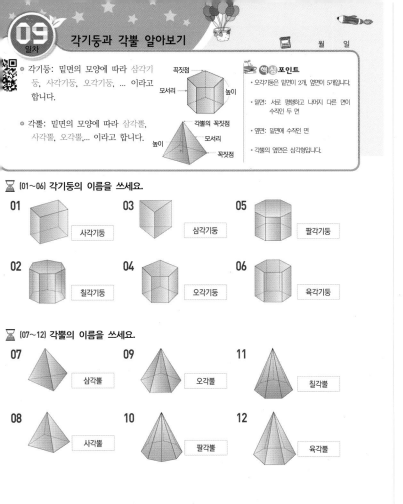

꼭짓점
모서리
높이
각뿔의 꼭짓점
높이
모서리
꼭짓점

**핵심포인트**
- 오각기둥은 밑면이 2개, 옆면이 5개입니다.
- 밑면: 서로 평행하고 나머지 다른 면이 수직인 두 면
- 옆면: 밑면에 수직인 면
- 각뿔의 옆면은 삼각형입니다.

[01~06] 각기둥의 이름을 쓰세요.

01 사각기둥

03 삼각기둥

05 팔각기둥

02 칠각기둥

04 오각기둥

06 육각기둥

[07~12] 각뿔의 이름을 쓰세요.

07 삼각뿔

09 오각뿔

11 칠각뿔

08 사각뿔

10 팔각뿔

12 육각뿔

---

## 도형 이해하기

정확하게 풀어보아요

[13~20] 빈칸에 알맞은 말이나 수를 쓰세요.

13 · 밑면의 모양: 삼각형
· 선분의 개수: 9 개
· 꼭짓점의 개수: 6 개
· 면의 개수: 5 개

17 · 밑면의 모양: 사각형
· 선분의 개수: 12 개
· 꼭짓점의 개수: 8 개
· 면의 개수: 6 개

14 · 밑면의 모양: 오각형
· 선분의 개수: 15 개
· 꼭짓점의 개수: 10 개
· 면의 개수: 7 개

18 · 밑면의 모양: 육각형
· 선분의 개수: 18 개
· 꼭짓점의 개수: 12 개
· 면의 개수: 8 개

15 · 밑면의 모양: 칠각형
· 선분의 개수: 21 개
· 꼭짓점의 개수: 14 개
· 면의 개수: 9 개

19 · 밑면의 모양: 팔각형
· 선분의 개수: 24 개
· 꼭짓점의 개수: 16 개
· 면의 개수: 10 개

16 · 밑면의 모양: 구각형
· 선분의 개수: 27 개
· 꼭짓점의 개수: 18 개
· 면의 개수: 11 개

20 · 밑면의 모양: 십각형
· 선분의 개수: 30 개
· 꼭짓점의 개수: 20 개
· 면의 개수: 12 개

---

## 도형 이해하기

정확하게 풀어보아요

[21~28] 빈칸에 알맞은 말이나 수를 쓰세요.

21 · 밑면의 모양: 삼각형
· 선분의 개수: 6 개
· 꼭짓점의 개수: 4 개
· 면의 개수: 4 개

25 · 밑면의 모양: 사각형
· 선분의 개수: 8 개
· 꼭짓점의 개수: 5 개
· 면의 개수: 5 개

22 · 밑면의 모양: 오각형
· 선분의 개수: 10 개
· 꼭짓점의 개수: 6 개
· 면의 개수: 6 개

26 · 밑면의 모양: 육각형
· 선분의 개수: 12 개
· 꼭짓점의 개수: 7 개
· 면의 개수: 7 개

23 · 밑면의 모양: 칠각형
· 선분의 개수: 14 개
· 꼭짓점의 개수: 8 개
· 면의 개수: 8 개

27 · 밑면의 모양: 팔각형
· 선분의 개수: 16 개
· 꼭짓점의 개수: 9 개
· 면의 개수: 9 개

24 · 밑면의 모양: 구각형
· 선분의 개수: 18 개
· 꼭짓점의 개수: 10 개
· 면의 개수: 10 개

28 · 밑면의 모양: 십각형
· 선분의 개수: 20 개
· 꼭짓점의 개수: 11 개
· 면의 개수: 11 개

---

## 도형 이해하기

정확하게 풀어보아요

[29~38] 물음에 답하세요.

29 밑면의 모양이 십이각형인 각기둥의 이름은 무엇일까요?
십이각기둥

34 밑면의 모양이 십오각형인 각뿔의 이름은 무엇일까요?
십오각뿔

30 밑면의 모양이 팔각형인 각기둥의 이름은 무엇일까요?
팔각기둥

35 모서리의 개수가 12개인 각뿔의 이름은 무엇일까요?
육각뿔

31 모서리의 개수가 15개인 각기둥의 이름은 무엇일까요?
오각기둥

36 모서리의 개수가 10개인 각뿔의 이름은 무엇일까요?
오각뿔

32 꼭짓점의 개수가 12개인 각기둥의 이름은 무엇일까요?
육각기둥

37 꼭짓점의 개수가 13개인 각뿔의 이름은 무엇일까요?
십이각뿔

33 꼭짓점의 개수가 38개인 각기둥의 이름은 무엇일까요?
십구각기둥

38 꼭짓점의 개수가 18개인 각뿔의 이름은 무엇일까요?
십칠각뿔

**연마 Check** 칭찬이나 노력할 점을 써 주세요.

| 맞힌 개수 | 지도 의견 | | 확인란 |
|---|---|---|---|
| 개 | 나의 생각 | | |

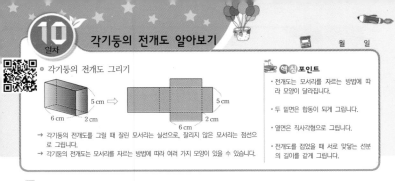

## 10 일차 각기둥의 전개도 알아보기

월 일

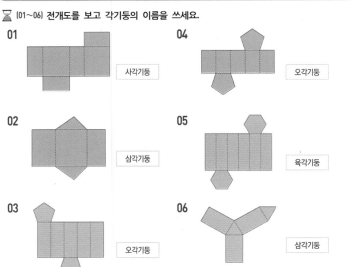

◦ 각기둥의 전개도 그리기

5cm ⇨ 5cm
6cm 2cm 6cm 2cm

→ 각기둥의 전개도를 그릴 때 잘린 모서리는 실선으로, 잘리지 않은 모서리는 점선으로 그립니다.
→ 각기둥의 전개도는 모서리를 자르는 방법에 따라 여러 가지 모양이 있을 수 있습니다.

**핵심포인트**

• 전개도는 모서리를 자르는 방법에 따라 모양이 달라집니다.
• 두 밑면은 합동이 되게 그립니다.
• 옆면은 직사각형으로 그립니다.
• 전개도를 접었을 때 서로 맞닿는 선분의 길이를 같게 그립니다.

▣ (01~06) 전개도를 보고 각기둥의 이름을 쓰세요.

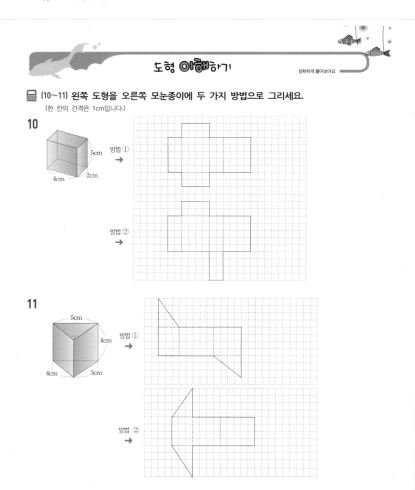

01 _____ 사각기둥

02 _____ 삼각기둥

03 _____ 오각기둥

04 _____ 오각기둥

05 _____ 육각기둥

06 _____ 삼각기둥

---

▣ (07~09) 왼쪽 도형을 오른쪽 모눈종이에 전개도를 그리세요. (한 칸의 간격은 1cm입니다.)

07
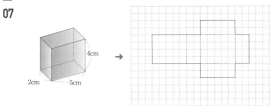
4cm
2cm 5cm →

08
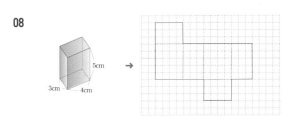
5cm
3cm 4cm →

09
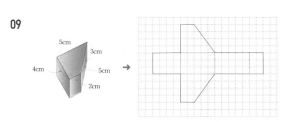
5cm
3cm
4cm 5cm
2cm →

---

▣ (10~11) 왼쪽 도형을 오른쪽 모눈종이에 두 가지 방법으로 그리세요.
[한 칸의 간격은 1cm입니다.]

10
5cm
4cm 2cm
방법 ①
→
방법 ②
→

11
5cm
4cm
4cm 3cm
방법 ①
→
방법 ②
→

---

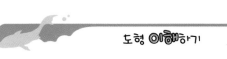 

▣ (12~15) 왼쪽 전개도를 점선을 따라 접어서 오른쪽 각기둥을 만들었습니다. □안에 알맞은 수를 써넣으세요.

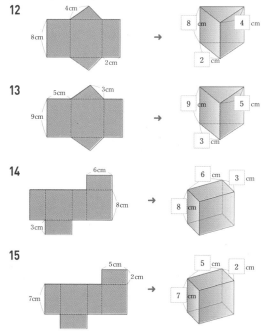

12
4cm
8cm
2cm →
8 cm 4 cm
2 cm

13
5cm 3cm
9cm →
9 cm 5 cm
3 cm

14
6cm
8cm
3cm →
6 cm 3 cm
8 cm

15
5cm
2cm
7cm →
5 cm 2 cm
7 cm

**연마 Check** 칭찬이나 노력할 점을 써 주세요.

| 맞힌 개수 | 지도 의견 | |
|---|---|---|
| 개 | 나의 생각 | 확인란 |

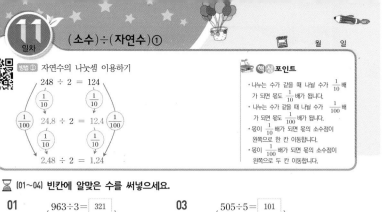

# (소수)÷(자연수)①

월  일

방법① 자연수의 나눗셈 이용하기

$$248 \div 2 = 124$$

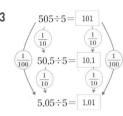

$$24.8 \div 2 = 12.4$$

$$2.48 \div 2 = 1.24$$

### 핵심포인트

· 나누는 수가 같을 때 나뉠 수가 $\frac{1}{10}$ 배가 되면 몫도 $\frac{1}{10}$ 배가 됩니다.
· 나누는 수가 같을 때 나뉠 수가 $\frac{1}{100}$ 배가 되면 몫도 $\frac{1}{100}$ 배가 됩니다.
· 몫이 $\frac{1}{10}$ 배가 되면 몫의 소수점이 왼쪽으로 한 칸 이동합니다.
· 몫이 $\frac{1}{100}$ 배가 되면 몫의 소수점이 왼쪽으로 두 칸 이동합니다.

[01~04] 빈칸에 알맞은 수를 써넣으세요.

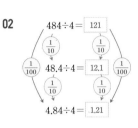

**01**
$$963 \div 3 = 321$$
$$96.3 \div 3 = 32.1$$
$$9.63 \div 3 = 3.21$$

**02**
$$484 \div 4 = 121$$
$$48.4 \div 4 = 12.1$$
$$4.84 \div 4 = 1.21$$

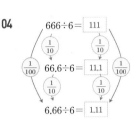

**03**
$$505 \div 5 = 101$$
$$50.5 \div 5 = 10.1$$
$$5.05 \div 5 = 1.01$$

**04**
$$666 \div 6 = 111$$
$$66.6 \div 6 = 11.1$$
$$6.66 \div 6 = 1.11$$

---

[05~22] 빈칸에 알맞은 수를 써넣으세요.

**05**
$$186 \div 6 = 31$$
$$18.6 \div 6 = 3.1$$

**06**
$$219 \div 3 = 73$$
$$21.9 \div 3 = 7.3$$

**07**
$$208 \div 4 = 52$$
$$20.8 \div 4 = 5.2$$

**08**
$$427 \div 7 = 61$$
$$42.7 \div 7 = 6.1$$

**09**
$$639 \div 9 = 71$$
$$63.9 \div 9 = 7.1$$

**10**
$$248 \div 8 = 31$$
$$24.8 \div 8 = 3.1$$

**11**
$$405 \div 5 = 81$$
$$40.5 \div 5 = 8.1$$

**12**
$$217 \div 7 = 31$$
$$21.7 \div 7 = 3.1$$

**13**
$$488 \div 8 = 61$$
$$48.8 \div 8 = 6.1$$

**14**
$$366 \div 6 = 61$$
$$36.6 \div 6 = 6.1$$

**15**
$$279 \div 9 = 31$$
$$27.9 \div 9 = 3.1$$

**16**
$$462 \div 2 = 231$$
$$4.62 \div 2 = 2.31$$

**17**
$$682 \div 2 = 341$$
$$6.82 \div 2 = 3.41$$

**18**
$$693 \div 3 = 231$$
$$6.93 \div 3 = 2.31$$

**19**
$$336 \div 3 = 112$$
$$3.36 \div 3 = 1.12$$

**20**
$$408 \div 4 = 102$$
$$40.8 \div 4 = 10.2$$

**21**
$$909 \div 9 = 101$$
$$90.9 \div 9 = 10.1$$

**22**
$$555 \div 5 = 111$$
$$55.5 \div 5 = 11.1$$

---

[23~43] 빈칸에 알맞은 수를 써넣으세요.

**23** $6.09 \xrightarrow{\div 3} 2.03$

**24** $10.5 \xrightarrow{\div 5} 2.1$

**25** $64.8 \xrightarrow{\div 8} 8.1$

**26** $8.42 \xrightarrow{\div 2} 4.21$

**27** $28.7 \xrightarrow{\div 7} 4.1$

**28** $48.6 \xrightarrow{\div 6} 8.1$

**29** $45.9 \xrightarrow{\div 9} 5.1$

**30** $24.6 \xrightarrow{\div 6} 4.1$

**31** $49.7 \xrightarrow{\div 7} 7.1$

**32** $39.3 \xrightarrow{\div 3} 13.1$

**33** $40.8 \xrightarrow{\div 8} 5.1$

**34** $18.9 \xrightarrow{\div 9} 2.1$

**35** $25.5 \xrightarrow{\div 5} 5.1$

**36** $2.24 \xrightarrow{\div 2} 1.12$

**37** $35.5 \xrightarrow{\div 5} 7.1$

**38** $8.84 \xrightarrow{\div 4} 2.21$

**39** $7.07 \xrightarrow{\div 7} 1.01$

**40** $6.33 \xrightarrow{\div 3} 2.11$

**41** $32.8 \xrightarrow{\div 8} 4.1$

**42** $12.6 \xrightarrow{\div 6} 2.1$

**43** $9.99 \xrightarrow{\div 9} 1.11$

---

**44** 42.6 m의 리본을 6명에게 똑같은 길이로 나누어 주려고 합니다. 한 명에게 나눠줄 수 있는 리본은 몇 m일까요?

**풀이과정**

(1) 리본의 길이는 42.6 m입니다.

(2) 리본을 똑같이 6 도막으로 잘랐습니다.

(3) 42.6 ÷ 6 = 7.1 m입니다.

$42.6 \xrightarrow{\div 6} 7.1$

[45~48] 풀이과정을 쓰고 답을 구하세요.

**45** 엄마가 두 딸에게 백설기 2.8 kg을 똑같이 나누어 포장해 보내려고 합니다. 포장된 백설기는 몇 kg인가요?

풀이  $2.8 \div 2 = 1.4$

답  1.4  kg

**46** 1 g 분동 3개와 0.1 g 분동 6개를 페트리 접시 3개에 똑같이 모두 나누어 담았습니다. 페트리 접시 한 개에 담은 분동의 무게는 몇 g인가요?

풀이  $3.6 \div 3 = 1.2$

답  1.2  g

**47** 시멘트 가루 36.8 kg을 4팩으로 똑같이 나누면 한 팩은 몇 kg인가요?

풀이  $36.8 \div 4 = 9.2$

답  9.2  kg

**48** 태희는 운동장에 있는 448 m 트랙을 4구간으로 표시하고 싶고, 지현이는 44.8 m 트랙을 4구간으로 표시하고 싶습니다. 태희와 지현이는 각각 몇 m씩 구간을 나누면 될까요?

풀이  $448 \div 4 = 112,  44.8 \div 4 = 11.2$

답  태희: 112  m, 지현: 11.2  m

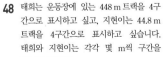
**연마 Check** 칭찬이나 노력할 점을 써 주세요.

| 맞힌 개수 | 지도 의견 | |
|---|---|---|
| 개 | 나의 생각 | 확인란 |

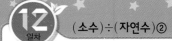

## 12 일차 (소수)÷(자연수)②

월 일

**방법②** 분수의 나눗셈으로 계산하기

$13.6 \div 8 = \dfrac{136}{10} \div 8 = \dfrac{136 \div 8}{10} = \dfrac{17}{10} = 1.7$

→ 소수 한 자리 수를 분모가 10인 분수로 고칩니다.
→ 분수의 나눗셈으로 계산합니다.

**핵심포인트**

$13.6 \div 8 = \dfrac{136}{10} \div 8$
$= \dfrac{\overset{17}{\cancel{136}}}{10} \times \dfrac{1}{\cancel{8}_1} = \dfrac{17}{10} = 1.7$
약분

**[01~06]** 빈칸에 알맞은 수를 써넣으세요.

**01** $8.4 \div 6 = \dfrac{\boxed{84}}{10} \div 6$
$= \dfrac{\boxed{84} \div 6}{10} = \dfrac{14}{10} = \boxed{1.4}$

**02** $17.2 \div 4 = \dfrac{\boxed{172}}{10} \div 4$
$= \dfrac{\boxed{172} \div \boxed{4}}{10} = \dfrac{43}{10} = \boxed{4.3}$

**03** $4.5 \div 3 = \dfrac{\boxed{45}}{10} \div 3$
$= \dfrac{\boxed{45} \div \boxed{3}}{10} = \dfrac{15}{10} = \boxed{1.5}$

**04** $8.5 \div 5 = \dfrac{\boxed{85}}{10} \div 5$
$= \dfrac{\boxed{85} \div \boxed{5}}{10} = \dfrac{17}{10} = \boxed{1.7}$

**05** $48.6 \div 9 = \dfrac{\boxed{486}}{10} \div 9$
$= \dfrac{\boxed{486} \div \boxed{9}}{10} = \dfrac{54}{10} = \boxed{5.4}$

**06** $19.6 \div 7 = \dfrac{\boxed{196}}{10} \div 7$
$= \dfrac{\boxed{196} \div \boxed{7}}{10} = \dfrac{28}{10} = \boxed{2.8}$

---

### 계산력 강화하기

정확하게 풀어보아요

**[07~27]** 분수의 나눗셈으로 계산을 하세요.

**07** $9.5 \div 5$
$= \dfrac{95 \div 5}{10} = \dfrac{19}{10} = 1.9$

**08** $50.4 \div 9$
$= \dfrac{504 \div 9}{10} = \dfrac{56}{10} = 5.6$

**09** $27.3 \div 7$
$= \dfrac{273 \div 7}{10} = \dfrac{39}{10} = 3.9$

**10** $57.6 \div 6$
$= \dfrac{576 \div 6}{10} = \dfrac{96}{10} = 9.6$

**11** $13.8 \div 2$
$= \dfrac{138 \div 2}{10} = \dfrac{69}{10} = 6.9$

**12** $20.8 \div 8$
$= \dfrac{208 \div 8}{10} = \dfrac{26}{10} = 2.6$

**13** $19.5 \div 3$
$= \dfrac{195 \div 3}{10} = \dfrac{65}{10} = 6.5$

**14** $19.2 \div 6$
$= \dfrac{192 \div 6}{10} = \dfrac{32}{10} = 3.2$

**15** $86.1 \div 3$
$= \dfrac{861 \div 3}{10} = \dfrac{287}{10} = 28.7$

**16** $43.2 \div 9$
$= \dfrac{432 \div 9}{10} = \dfrac{48}{10} = 4.8$

**17** $76.5 \div 5$
$= \dfrac{765 \div 5}{10} = \dfrac{153}{10} = 15.3$

**18** $15.6 \div 4$
$= \dfrac{156 \div 4}{10} = \dfrac{39}{10} = 3.9$

**19** $43.4 \div 2$
$= \dfrac{434 \div 2}{10} = \dfrac{217}{10} = 21.7$

**20** $93.1 \div 7$
$= \dfrac{931 \div 7}{10} = \dfrac{133}{10} = 13.3$

**21** $8.4 \div 3$
$= \dfrac{84 \div 3}{10} = \dfrac{28}{10} = 2.8$

**22** $30.1 \div 7$
$= \dfrac{301 \div 7}{10} = \dfrac{43}{10} = 4.3$

**23** $73.8 \div 6$
$= \dfrac{738 \div 6}{10} = \dfrac{123}{10} = 12.3$

**24** $47.6 \div 4$
$= \dfrac{476 \div 4}{10} = \dfrac{119}{10} = 11.9$

**25** $92.8 \div 8$
$= \dfrac{928 \div 8}{10} = \dfrac{116}{10} = 11.6$

**26** $67.5 \div 5$
$= \dfrac{675 \div 5}{10} = \dfrac{135}{10} = 13.5$

**27** $72.8 \div 2$
$= \dfrac{728 \div 2}{10} = \dfrac{364}{10} = 36.4$

---

### 구조화하기

구조화 하기를 연습하면 서술형도 쉽게 풀어요

**[28~48]** 빈칸에 알맞은 수를 써넣으세요.

**28** $12.8 \div 8 = 1.6$
$\dfrac{128 \div 8}{10} = \dfrac{16}{10}$

**29** $89.6 \div 7 = 12.8$
$\dfrac{896 \div 7}{10} = \dfrac{128}{10}$

**30** $21.6 \div 6 = 3.6$
$\dfrac{216 \div 6}{10} = \dfrac{36}{10}$

**31** $4.2 \div 3 = 1.4$
$\dfrac{42 \div 3}{10} = \dfrac{14}{10}$

**32** $47.2 \div 2 = 23.6$
$\dfrac{472 \div 2}{10} = \dfrac{236}{10}$

**33** $41.4 \div 9 = 4.6$
$\dfrac{414 \div 9}{10} = \dfrac{46}{10}$

**34** $27.6 \div 4 = 6.9$
$\dfrac{276 \div 4}{10} = \dfrac{69}{10}$

**35** $7.8 \div 3 = 2.6$
$\dfrac{78 \div 3}{10} = \dfrac{26}{10}$

**36** $16.1 \div 7 = 2.3$
$\dfrac{161 \div 7}{10} = \dfrac{23}{10}$

**37** $19.8 \div 9 = 2.2$
$\dfrac{198 \div 9}{10} = \dfrac{22}{10}$

**38** $22.2 \div 6 = 3.7$
$\dfrac{222 \div 6}{10} = \dfrac{37}{10}$

**39** $56.4 \div 4 = 14.1$
$\dfrac{564 \div 4}{10} = \dfrac{141}{10}$

**40** $37.5 \div 5 = 7.5$
$\dfrac{375 \div 5}{10} = \dfrac{75}{10}$

**41** $9.2 \div 2 = 4.6$
$\dfrac{92 \div 2}{10} = \dfrac{46}{10}$

**42** $39.2 \div 4 = 9.8$
$\dfrac{392 \div 4}{10} = \dfrac{98}{10}$

**43** $8.4 \div 6 = 1.4$
$\dfrac{84 \div 6}{10} = \dfrac{14}{10}$

**44** $71.4 \div 3 = 23.8$
$\dfrac{714 \div 3}{10} = \dfrac{238}{10}$

**45** $22.5 \div 5 = 4.5$
$\dfrac{225 \div 5}{10} = \dfrac{45}{10}$

**46** $19.6 \div 7 = 2.8$
$\dfrac{196 \div 7}{10} = \dfrac{28}{10}$

**47** $9.6 \div 8 = 1.2$
$\dfrac{96 \div 8}{10} = \dfrac{12}{10}$

**48** $83.7 \div 9 = 9.3$
$\dfrac{837 \div 9}{10} = \dfrac{93}{10}$

---

### 서술형 풀어보기

구조화 해서 풀어보아요

**49** 둘레가 57.5 cm인 정오각형의 한 변의 길이는 몇 cm일까요?

**풀이과정**

(1) 둘레가 $\boxed{57.5}$ cm인 정오각형이 있습니다.

(2) 정오각형의 둘레는 $\boxed{5}$ 개의 변의 길이의 합입니다.

$57.5 \div 5 = 11.5$

(3) 한 변의 길이는 $57.5 \div 5 = \boxed{11.5}$ cm입니다.

**[50~53]** 풀이과정을 쓰고 답을 구하세요.

**50** 닭 8마리를 튀기는데 13.6 L의 식용유를 똑같이 나누어 사용했을 때, 닭 1마리에 사용한 식용유는 몇 L일까요?

풀이 $13.6 \div 8 = \dfrac{136 \div 8}{10} = \dfrac{17}{10} = 1.7$

답  1.7  L

**51** 도원이는 자전거를 타고 일정한 빠르기로 3시간 동안 49.5 km를 달렸습니다. 도원이가 한 시간 동안 자전거로 달린 거리는 몇 km인가요?

풀이 $49.5 \div 3 = \dfrac{495 \div 3}{10} = \dfrac{165}{10} = 16.5$

답  16.5  km

**52** 선물 4개를 포장하는데 끈 51.2 cm를 똑같이 나누어 사용했습니다. 선물 1개를 포장할 때 사용된 끈은 몇 cm일까요?

풀이 $51.2 \div 4 = \dfrac{512 \div 4}{10} = \dfrac{128}{10} = 12.8$

답  12.8  cm

**53** 포도주스 171.6 mL를 6명에게 똑같이 나누어 주려고 합니다. 한 명이 몇 mL를 마시게 될까요?

풀이 $171.6 \div 6 = \dfrac{1716 \div 6}{10} = \dfrac{286}{10} = 28.6$

답  28.6  mL

**연마 Check** 칭찬이나 노력할 점을 써 주세요.

| 맞힌 개수 | 지도 의견 | |
|---|---|---|
| | | 확인란 |
| 개 | 나의 생각 | |

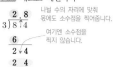

# 13 일차

## (소수)÷(자연수)③

월 일

방법 ③ 세로로 계산하기

```
      2 . 8
  3 ) 8 . 4
      6
      2 ▾ 4
      2   4
          0
```

나눌 수의 자리에 맞춰 몫에도 소수점을 찍어줍니다.

여기엔 소수점을 찍지 않습니다.

🎯 핵심포인트
- 몫의 소수점은 나눌 수의 소수점 자리에 맞추어 찍습니다.
- 소수점 자리만 주의하면 (자연수)÷(자연수)의 방법과 같습니다.

[01~06] 빈칸에 알맞은 수를 써넣으세요.

**01**
```
        3 . 7
  6 ) 2 2 . 2
      1 8
        4 2
        4 2
          0
```

**03**
```
        5 . 4
  7 ) 3 7 . 8
      3 5
        2 8
        2 8
          0
```

**05**
```
        1 2 . 3
  6 ) 7 3 . 8
      6
      1 3
      1 2
        1 8
        1 8
          0
```

**02**
```
        1 5 . 6
  4 ) 6 2 . 4
      4
      2 2
      2 0
        2 4
        2 4
          0
```

**04**
```
        2 8 . 7
  3 ) 8 6 . 1
      6
      2 6
      2 4
        2 1
        2 1
          0
```

**06**
```
        1 2 . 3
  5 ) 6 1 . 5
      5
      1 1
      1 0
        1 5
        1 5
          0
```

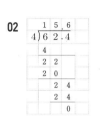

60  3. 소수의 나눗셈

---

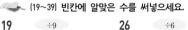

# 계산력 강화하기

정확하게 풀어보아요

[07~18] 계산을 하세요.

**07**
```
        7 . 4
  3 ) 2 2 . 2
      2 1
        1 2
        1 2
          0
```

**11**
```
        3 . 9
  7 ) 2 7 . 3
      2 1
        6 3
        6 3
          0
```

**15**
```
        2 1 . 7
  3 ) 6 5 . 1
      6
        5
        3
        2 1
        2 1
          0
```

**08**
```
        2 . 1
  4 ) 8 . 4
      8
        4
        4
        0
```

**12**
```
        1 4 . 7
  4 ) 5 8 . 8
      4
      1 8
      1 6
        2 8
        2 8
          0
```

**16**
```
        8 . 4
  8 ) 6 7 . 2
      6 4
        3 2
        3 2
          0
```

**09**
```
        1 1 . 8
  7 ) 8 2 . 6
      7
      1 2
        7
        5 6
        5 6
          0
```

**13**
```
        1 . 8
  8 ) 1 4 . 4
      8
      6 4
      6 4
        0
```

**17**
```
        1 6 . 3
  6 ) 9 7 . 8
      6
      3 7
      3 6
        1 8
        1 8
          0
```

**10**
```
        6 . 7
  9 ) 6 0 . 3
      5 4
        6 3
        6 3
          0
```

**14**
```
        2 . 8
  3 ) 8 . 4
      6
      2 4
      2 4
        0
```

**18**
```
        9 . 8
  4 ) 3 9 . 2
      3 6
        3 2
        3 2
          0
```

---

# 구조화하기

구조화 하기를 연습하면 서술형도 쉽게 풀어요

[19~39] 빈칸에 알맞은 수를 써넣으세요.

**19** ÷9
64.8 → 7.2

**26** ÷6
21.6 → 3.6

**33** ÷9
56.7 → 6.3

**20** ÷7
17.5 → 2.5

**27** ÷9
73.8 → 8.2

**34** ÷6
213.6 → 35.6

**21** ÷8
25.6 → 3.2

**28** ÷7
48.3 → 6.9

**35** ÷6
75.6 → 12.6

**22** ÷4
11.6 → 2.9

**29** ÷3
82.8 → 27.6

**36** ÷4
93.6 → 23.4

**23** ÷6
7.8 → 1.3

**30** ÷4
34.4 → 8.6

**37** ÷8
302.4 → 37.8

**24** ÷3
73.5 → 24.5

**31** ÷6
70.2 → 11.7

**38** ÷5
718.5 → 143.7

**25** ÷5
115.5 → 23.1

**32** ÷8
97.6 → 12.2

**39** ÷8
99.2 → 12.4

62  3. 소수의 나눗셈

---

# 서술형 풀어보기

구조화 해서 풀어보아요

**40** 모둠원 7명이 같은 길이의 리본을 내서, 전체 길이가 93.1 cm인 리본을 만들었습니다. 1명이 몇 cm의 리본을 냈을까요? (단, 리본은 나란히 이어서 줄어든 길이가 없습니다.)

풀이과정

(1) 리본의 전체 길이는 93.1 cm입니다.

(2) 모둠원은 7 명입니다.

(3) 1명이 낸 리본의 길이는 93.1 ÷ 7 = 13.3 cm입니다.

÷7
93.1 → 13.3

💡 [41~44] 풀이과정을 쓰고 답을 구하세요.

**41** 가로 3 cm, 세로 2 m인 직사각형 모양의 바닥을 닦는데 세제가 74.4 mL 사용되었습니다. 1 m²의 바닥을 닦는데 쓰인 세제는 몇 mL일까요? (단, 세제는 똑같이 나누어 사용되었습니다.)

풀이  74.4÷6=12.4

답  12.4  mL

**43** 연필 1타의 무게는 79.2 g입니다. 1타에 12자루가 들어 있을 때, 연필 한 자루의 무게는 몇 g일까요?

풀이  79.2÷12=6.6

답  6.6  g

**42** 밀가루 62.3 kg을 7명이 똑같이 나누어 빵을 만들려고 합니다. 1명이 몇 kg의 밀가루를 가져갈까요?

풀이  62.3÷7=8.9

답  8.9  kg

**44** 길이가 56.1 cm인 가래떡을 11명이 똑같이 나누어 먹으려고 합니다. 1명이 몇 cm의 가래떡을 먹게 될까요?

풀이  56.1÷11=5.1

답  5.1  cm

🏁 연마 Check  칭찬이나 노력할 점을 써 주세요.

| 맞힌 개수 | 지도 의견 | 확인란 |
|---|---|---|
| 개 | 나의 생각 | |

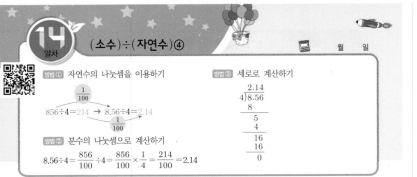

**방법①** 자연수의 나눗셈을 이용하기

$856÷4=214 → 8.56÷4=2.14$

**방법②** 분수의 나눗셈으로 계산하기

$8.56÷4=\dfrac{856}{100}÷4=\dfrac{856}{100}×\dfrac{1}{4}=\dfrac{214}{100}=2.14$

**방법③** 세로로 계산하기

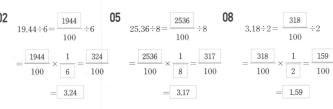

---

[01~09] 빈칸에 알맞은 수를 써넣으세요.

01  $741÷3=\boxed{247}$
→ $7.41÷3=\boxed{2.47}$

04  $1065÷5=\boxed{213}$
→ $10.65÷5=\boxed{2.13}$

07  $1806÷7=\boxed{258}$
→ $18.06÷7=\boxed{2.58}$

02  $19.44÷6=\dfrac{\boxed{1944}}{100}÷6$
$=\dfrac{1944}{100}×\dfrac{1}{\boxed{6}}=\dfrac{\boxed{324}}{100}$
$=\boxed{3.24}$

05  $25.36÷8=\dfrac{\boxed{2536}}{100}÷8$
$=\dfrac{2536}{100}×\dfrac{1}{\boxed{8}}=\dfrac{\boxed{317}}{100}$
$=\boxed{3.17}$

08  $3.18÷2=\dfrac{\boxed{318}}{100}÷2$
$=\dfrac{318}{100}×\dfrac{1}{\boxed{2}}=\dfrac{\boxed{159}}{100}$
$=\boxed{1.59}$

03, 06, 09 세로셈

---

[10~15] **방법①**로 계산을 하세요.

10  $22.05÷7$
$=3.15$

12  $5.36÷2$
$=2.68$

14  $27.6÷8$
$=3.45$

11  $5.64÷4$
$=1.41$

13  $35.34÷6$
$=5.89$

15  $53.67÷3$
$=17.89$

[16~21] **방법②**로 계산을 하세요.

16  $71.85÷5$
$=14.37$

18  $37.92÷4$
$=9.48$

20  $44.24÷7$
$=6.32$

17  $11.55÷5$
$=2.31$

19  $25.42÷2$
$=12.71$

21  $61.85÷5$
$=12.37$

[22~27] **방법③**으로 계산을 하세요.

22  $48.15÷9$
$=5.35$

24  $30.24÷8$
$=3.78$

26  $14.52÷6$
$=2.42$

23  $79.71÷3$
$=26.57$

25  $4.52÷4$
$=1.13$

27  $19.81÷7$
$=2.83$

---

사고력 확장  **구조화**하기  구조화 하기를 연습하면 서술형도 쉽게 풀어요

[28~48] 빈칸에 알맞은 수를 써넣으세요.

28  ÷5  $8.45 → 1.69$

35  ÷4  $5.64 → 1.41$

42  ÷3  $17.64 → 5.88$

29  ÷4  $9.72 → 2.43$

36  ÷5  $28.15 → 5.63$

43  ÷5  $16.85 → 3.37$

30  ÷7  $8.26 → 1.18$

37  ÷6  $19.86 → 3.31$

44  ÷6  $38.82 → 6.47$

31  ÷8  $37.68 → 4.71$

38  ÷8  $23.52 → 2.94$

45  ÷8  $25.36 → 3.17$

32  ÷6  $57.96 → 9.66$

39  ÷3  $25.26 → 8.42$

46  ÷4  $30.12 → 7.53$

33  ÷9  $33.75 → 3.75$

40  ÷7  $8.96 → 1.28$

47  ÷7  $9.31 → 1.33$

34  ÷6  $47.34 → 7.89$

41  ÷2  $5.88 → 2.94$

48  ÷2  $7.28 → 3.64$

---

49  수박 6.9 kg과 멜론 2.86 kg을 적당히 섞어 8개의 도시락통에 똑같이 넣으려고 합니다. 과일 도시락 1개에 들어가는 수박과 멜론의 무게의 합은 몇 kg일까요?

**풀이과정**

(1) 과일의 무게는 모두  $\boxed{6.9}$ + $\boxed{2.86}$ = $\boxed{9.76}$ kg입니다.

(2) 만들 과일도시락은 모두  $\boxed{8}$ 개 입니다.

(3) 과일도시락 1개의 무게는  $\boxed{9.76}$ ÷ $\boxed{8}$ = $\boxed{1.22}$ kg입니다.

÷8  $9.76 → 1.22$

[50~53] 풀이과정을 쓰고 답을 구하세요.

50  둘레가 7.14 cm인 정삼각형의 한 변의 길이는 몇 cm일까요?

풀이  $7.14÷3=2.38$

답  $2.38$ cm

52  리본 9.28 m를 똑같이 나누어 8개의 선물상자를 포장했습니다. 1상자에 사용한 리본의 길이는 몇 m일까요?

풀이  $9.28÷8=1.16$

답  $1.16$ m

51  7.44 L의 등유를 6일 동안 똑같이 나누어 사용해야 합니다. 1일 동안 사용할 수 있는 등유의 양은 몇 L일까요?

풀이  $7.44÷6=1.24$

답  $1.24$ L

53  넓이가 4.76 cm²인 직사각형 가로의 길이가 4 cm일 때, 세로의 길이는 몇 cm일까요?

풀이  $4.76÷4=1.19$

답  $1.19$ cm

연마 Check  칭찬이나 노력할 점을 써 주세요.

| 맞힌 개수 | | 지도 의견 | | |
|---|---|---|---|---|
| | 개 | 나의 생각 | | 확인란 |

## (소수)÷(자연수)의 몫이 1보다 작은 경우①

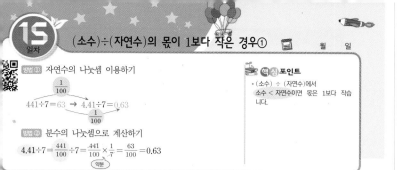

방법① 자연수의 나눗셈 이용하기

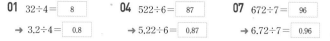

$441÷7=63 → 4.41÷7=0.63$

방법② 분수의 나눗셈으로 계산하기

$4.41÷7=\dfrac{441}{100}÷7=\dfrac{441}{100}×\dfrac{1}{7}=\dfrac{63}{100}=0.63$

약분

**핵심포인트**
· (소수) ÷ (자연수)에서
소수 < 자연수이면 몫은 1보다 작습니다.

**[01~09] 빈칸에 알맞은 수를 써넣으세요.**

**01** $32÷4=\boxed{8}$
→ $3.2÷4=\boxed{0.8}$

**04** $522÷6=\boxed{87}$
→ $5.22÷6=\boxed{0.87}$

**07** $672÷7=\boxed{96}$
→ $6.72÷7=\boxed{0.96}$

**02** $228÷3=\boxed{76}$
→ $2.28÷3=\boxed{0.76}$

**05** $738÷9=\boxed{82}$
→ $7.38÷9=\boxed{0.82}$

**08** $256÷8=\boxed{32}$
→ $2.56÷8=\boxed{0.32}$

**03**
$5.4÷9=\dfrac{\boxed{54}}{10}÷9$
$=\dfrac{\boxed{54}÷9}{10}=\dfrac{\boxed{6}}{10}$
$=\boxed{0.6}$

**06**
$3.44÷8=\dfrac{\boxed{344}}{10}÷8$
$=\dfrac{\boxed{344}÷8}{100}=\dfrac{\boxed{43}}{100}$
$=\boxed{0.43}$

**09**
$1.65÷5=\dfrac{\boxed{165}}{100}÷5$
$=\dfrac{\boxed{165}÷5}{100}=\dfrac{\boxed{33}}{100}$
$=\boxed{0.33}$

---

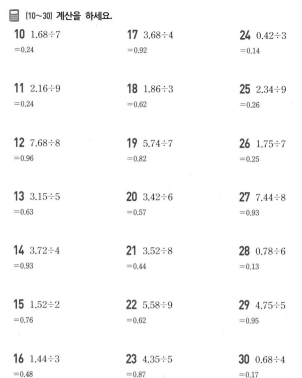

## 계산력 강화하기

정확하게 풀어보아요

**[10~30] 계산을 하세요.**

**10** $1.68÷7$
$=0.24$

**17** $3.68÷4$
$=0.92$

**24** $0.42÷3$
$=0.14$

**11** $2.16÷9$
$=0.24$

**18** $1.86÷3$
$=0.62$

**25** $2.34÷9$
$=0.26$

**12** $7.68÷8$
$=0.96$

**19** $5.74÷7$
$=0.82$

**26** $1.75÷7$
$=0.25$

**13** $3.15÷5$
$=0.63$

**20** $3.42÷6$
$=0.57$

**27** $7.44÷8$
$=0.93$

**14** $3.72÷4$
$=0.93$

**21** $3.52÷8$
$=0.44$

**28** $0.78÷6$
$=0.13$

**15** $1.52÷2$
$=0.76$

**22** $5.58÷9$
$=0.62$

**29** $4.75÷5$
$=0.95$

**16** $1.44÷3$
$=0.48$

**23** $4.35÷5$
$=0.87$

**30** $0.68÷4$
$=0.17$

---

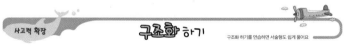

## 구조화하기

구조화 하기를 연습하면 서술형도 쉽게 풀어요

**[31~51] (앞의 수)÷(뒤의 수)를 빈칸에 써넣으세요.**

**31**
| 1.84 | 8 |
|---|---|
| 0.23 | |

**38**
| 3.85 | 7 |
|---|---|
| 0.55 | |

**45**
| 1.16 | 4 |
|---|---|
| 0.29 | |

**32**
| 2.16 | 6 |
|---|---|
| 0.36 | |

**39**
| 0.84 | 2 |
|---|---|
| 0.42 | |

**46**
| 4.27 | 7 |
|---|---|
| 0.61 | |

**33**
| 5.67 | 9 |
|---|---|
| 0.63 | |

**40**
| 2.24 | 8 |
|---|---|
| 0.28 | |

**47**
| 5.16 | 6 |
|---|---|
| 0.86 | |

**34**
| 1.92 | 3 |
|---|---|
| 0.64 | |

**41**
| 3.55 | 5 |
|---|---|
| 0.71 | |

**48**
| 3.96 | 4 |
|---|---|
| 0.99 | |

**35**
| 4.83 | 7 |
|---|---|
| 0.69 | |

**42**
| 1.26 | 9 |
|---|---|
| 0.14 | |

**49**
| 4.95 | 5 |
|---|---|
| 0.99 | |

**36**
| 1.85 | 5 |
|---|---|
| 0.37 | |

**43**
| 1.38 | 6 |
|---|---|
| 0.23 | |

**50**
| 1.84 | 8 |
|---|---|
| 0.23 | |

**37**
| 3.72 | 4 |
|---|---|
| 0.93 | |

**44**
| 3.84 | 4 |
|---|---|
| 0.96 | |

**51**
| 6.48 | 9 |
|---|---|
| 0.72 | |

---

## 서술형 풀어보기

구조화 해서 풀어보아요

**52** 직사각형 모양의 색테이프의 넓이가 1.68 cm²입니다. 가로의 길이가 6 cm일 때, 세로의 길이는 몇 cm일까요?

**풀이과정**

(1) 색테이프의 넓이는 $\boxed{1.68}$ cm²입니다.

(2) 가로의 길이는 $\boxed{6}$ cm입니다.

(3) 세로의 길이는 $\boxed{1.68}$ ÷ $\boxed{6}$ = $\boxed{0.28}$ cm입니다.

| 1.68 | 6 |
|---|---|
| 0.28 | |

**[53~56] 풀이과정을 쓰고 답을 구하세요.**

**53** 설탕 6.44 kg을 7모둠에 똑같이 나누어 주려고 할 때, 한 모둠이 가질 수 있는 설탕은 몇 kg일까요?

풀이   $6.44÷7=0.92$

답   0.92   kg

**55** 둘레가 3.48 cm인 정사각형이 있습니다. 정사각형 한 변의 길이는 몇 cm일까요?

풀이   $3.48÷4=0.87$

답   0.87   cm

**54** 어떤 수에 7을 곱했더니 3.92가 되었습니다. 어떤 수를 구하세요.

풀이   $3.92÷7=0.56$

답   0.56

**56** 똑같은 졸업앨범이 7권 있습니다. 7권의 졸업앨범 총 무게가 6.86 kg일 때, 졸업앨범 1권의 무게는 몇 kg일까요?

풀이   $6.86÷7=0.98$

답   0.98   kg

**연마 Check** 칭찬이나 노력할 점을 써 주세요.

| 맞힌 개수 | 지도 의견 | | 확인란 |
|---|---|---|---|
| 개 | 나의 생각 | | |

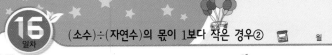

# 16일차 (소수)÷(자연수)의 몫이 1보다 작은 경우②

월 일

**방법③ 세로로 계산하기**

```
  0 6 3
7)4 4 1
  4 2
    2 1
    2 1
      0
```

→ 나눌 수가 나누는 수보다 작은 경우 몫은 1보다 작습니다. 그러므로 몫의 일의 자리에 0을 쓰고 소수점을 찍은 다음 자연수의 나눗셈과 같은 방법으로 계산합니다.

**핵심포인트**
· (소수) ÷ (자연수)에서 소수 < 자연수이면 몫은 1보다 작습니다.

## (01~06) 빈칸에 알맞은 수를 써넣으세요.

**01**
```
  0 1 3
4)0.5 2
  4
  1 2
  1 2
    0
```

**03**
```
  0 1 9
5)0.9 5
  5
  4 5
  4 5
    0
```

**05**
```
  0 6 8
8)5.4 4
  4 8
  6 4
  6 4
    0
```

**02**
```
  0 7 5
9)6.7 5
  6 3
  4 5
  4 5
    0
```

**04**
```
  0 8 7
4)3.4 8
  3 2
  2 8
  2 8
    0
```

**06**
```
  0 3 6
7)2.5 2
  2 1
  4 2
  4 2
    0
```

---

# 계산력 강화하기

정확하게 풀어보아요

## (07~24) 계산을 하세요.

**07** 0.98 6)5.88
**08** 0.94 4)3.76
**09** 0.77 2)1.54
**10** 0.65 3)1.95
**11** 0.86 9)7.74
**12** 0.48 6)2.88

**13** 0.71 3)2.13
**14** 0.81 9)7.29
**15** 0.76 4)3.04
**16** 0.63 8)5.04
**17** 0.63 4)2.52
**18** 0.64 7)4.48

**19** 0.6 12)7.2
**20** 0.99 7)6.93
**21** 0.54 6)3.24
**22** 0.89 7)6.23
**23** 0.52 8)4.16
**24** 0.52 3)1.56

---

# 구조화 하기

구조화 하기를 연습하면 서술형도 쉽게 풀어요

## (25~45) 빈칸에 알맞은 수를 써넣으세요.

**25** 6.64 ÷8 0.83
**26** 2.59 ÷7 0.37
**27** 0.96 ÷6 0.16
**28** 3.85 ÷5 0.77
**29** 2.19 ÷3 0.73
**30** 5.76 ÷9 0.64
**31** 0.76 ÷2 0.38

**32** 1.78 ÷2 0.89
**33** 1.62 ÷3 0.54
**34** 6.48 ÷9 0.72
**35** 4.34 ÷7 0.62
**36** 2.34 ÷6 0.39
**37** 2.08 ÷4 0.52
**38** 7.12 ÷8 0.89

**39** 3.99 ÷7 0.57
**40** 8.46 ÷9 0.94
**41** 4.55 ÷5 0.91
**42** 1.36 ÷4 0.34
**43** 2.32 ÷8 0.29
**44** 1.72 ÷2 0.86
**45** 3.24 ÷6 0.54

---

# 서술형 풀어보기

구조화 해서 풀어보아요

**46** 콜라 4.05 L를 컵 9개에 똑같이 나누어 담으려고 합니다. 컵 한 개에 담을 콜라는 몇 L일까요?

**풀이과정**
(1) 콜라는 모두 4.05 L가 있습니다.
(2) 나눠 담을 컵의 개수는 9개입니다.
40.5 ÷9 0.45
(3) 컵 한 개에 담을 콜라의 양은 4.05 ÷ 9 = 0.45 L입니다.

## (47~50) 풀이과정을 쓰고 답을 구하세요.

**47** 넓이가 5.94 cm²인 직사각형 모양의 얼음틀로 얼음을 만들려고 합니다. 6개의 똑같은 얼음을 만들려고 할 때, 얼음틀 1칸의 넓이는 몇 cm²일까요? (단, 칸의 두께는 무시합니다.)
풀이 5.94÷6=0.99
답 0.99 cm²

**48** 가로가 3 m, 세로가 4 m인 직사각형 모양의 벽을 페인트 10.8 L를 사용하여 칠했다고 할 때, 1 m² 면적을 칠하는데 사용한 페인트는 몇 L일까요?
풀이 10.8÷(3×4)=10.8÷12=0.9
답 0.9 L

**49** 막대기 8개를 나란히 길게 이었더니, 그 길이의 합은 3.12 m였습니다. 막대기 한 개의 길이는 몇 m일까요?
풀이 3.12÷8=0.39
답 0.39 m

**50** 어떤 수에 8을 곱했더니 6.96이 되었습니다. 어떤 수는 몇일까요?
풀이 어떤 수를 □라 하면, □×8=6.96입니다. □=6.96÷8이므로 0.87입니다.
답 0.87

**연마 Check** 칭찬이나 노력할 점을 써 주세요.

| 맞힌 개수 | 지도 의견 | |
|---|---|---|
| 개 | 나의 생각 | 확인란 |

## 17일차 (소수)÷(자연수)가 나누어떨어지지 않는 경우①

월 일

● 5.8÷4의 계산

**방법①** 분수의 나눗셈으로 계산하기

$5.8 \div 4 = \frac{580}{100} \div 4 = \frac{580}{100} \times \frac{1}{4} = \frac{145}{100} = 1.45$

[다른 풀이과정]

$5.8 \div 4 = \frac{58}{10} \div 4 = \frac{58}{10} \times \frac{1}{4} = \frac{29}{20} = \frac{145}{100} = 1.45$

**방법②** 자연수의 나눗셈 이용하기

$580 \div 4 = 145 \rightarrow 5.8 \div 4 = 1.45$

**[01~09] 빈칸에 알맞은 수를 써넣으세요.**

**01** $870 \div 6 = \boxed{145}$
→ $8.7 \div 6 = \boxed{1.45}$

**04** $260 \div 4 = \boxed{65}$
→ $2.6 \div 4 = \boxed{0.65}$

**07** $450 \div 2 = \boxed{225}$
→ $4.5 \div 2 = \boxed{2.25}$

**02** $360 \div 8 = \boxed{45}$
→ $3.6 \div 8 = \boxed{0.45}$

**05** $1140 \div 5 = \boxed{228}$
→ $11.4 \div 5 = \boxed{2.28}$

**08** $2070 \div 5 = \boxed{414}$
→ $20.7 \div 5 = \boxed{4.14}$

**03** $9.4 \div 5 = \frac{\boxed{940}}{100} \div 5$
$= \frac{\boxed{940} \div 5}{100} = \frac{\boxed{188}}{100}$
$= \boxed{1.88}$

**06** $7.5 \div 6 = \frac{\boxed{750}}{100} \div 6$
$= \frac{\boxed{750} \div 6}{100} = \frac{\boxed{125}}{100}$
$= \boxed{1.25}$

**09** $6.7 \div 5 = \frac{\boxed{670}}{100} \div 5$
$= \frac{\boxed{670} \div 5}{100} = \frac{\boxed{134}}{100}$
$= \boxed{1.34}$

---

## 계산력 강화하기

정확하게 풀어요.

**[10~30] 계산을 하세요.**

**10** $3.7 \div 2$
$= 1.85$

**17** $8.1 \div 6$
$= 1.35$

**24** $5.8 \div 4$
$= 1.45$

**11** $12.6 \div 5$
$= 2.52$

**18** $54.6 \div 4$
$= 13.65$

**25** $4.5 \div 6$
$= 0.75$

**12** $19.5 \div 6$
$= 3.25$

**19** $4.7 \div 2$
$= 2.35$

**26** $13.7 \div 5$
$= 2.74$

**13** $6.6 \div 4$
$= 1.65$

**20** $37.2 \div 8$
$= 4.65$

**27** $6.7 \div 2$
$= 3.35$

**14** $20.4 \div 8$
$= 2.55$

**21** $9.6 \div 5$
$= 1.92$

**28** $5.4 \div 4$
$= 1.35$

**15** $2.5 \div 2$
$= 1.25$

**22** $20.7 \div 6$
$= 3.45$

**29** $25.2 \div 8$
$= 3.15$

**16** $1.5 \div 6$
$= 0.25$

**23** $13.8 \div 4$
$= 3.45$

**30** $8.7 \div 5$
$= 1.74$

---

## 사고력 확장 구조화 하기

구조화 하기를 연습하면 서술형도 쉽게 풀어요

**[31~51] 빈칸에 알맞은 수를 써넣으세요.**

**31**  6.6 ÷4 → 1.65

**38**  9.1 ÷5 → 1.82

**45** 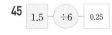 1.5 ÷6 → 0.25

**32** 8.2 ÷5 → 1.64

**39** 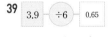 3.9 ÷6 → 0.65

**46**  9.7 ÷5 → 1.94

**33** 3.9 ÷6 → 0.65

**40** 14.8 ÷8 → 1.85

**47** 9.4 ÷4 → 2.35

**34** 12.4 ÷8 → 1.55

**41** 5.4 ÷4 → 1.35

**48** 27.3 ÷6 → 4.55

**35** 6.5 ÷2 → 3.25

**42** 14.7 ÷6 → 2.45

**49** 34.8 ÷8 → 4.35

**36** 17.6 ÷5 → 3.52

**43** 16.2 ÷5 → 3.24

**50** 21.6 ÷5 → 4.32

**37** 15.8 ÷4 → 3.95

**44** 17.4 ÷4 → 4.35

**51** 2.1 ÷6 → 0.35

---

## 사고력 확장 서술형 풀어보기

구조화 해서 풀어보아요

**52** 넓이가 8.6 m²인 직사각형 모양의 텃밭이 있습니다. 세로의 길이가 5 m라고 할 때, 가로의 길이는 몇 m일까요?

**(풀이과정)**

(1) 텃밭의 넓이는 $\boxed{8.6}$ m²입니다.

(2) 세로의 길이는 $\boxed{5}$ m입니다.

(3) 직사각형의 넓이를 이용하면 가로의 길이는 $\boxed{8.6} \div \boxed{5} = \boxed{1.72}$ m입니다.

8.6 ÷5 → 1.72

**[53~56] 풀이과정을 쓰고 답을 구하세요.**

**53** 이웃돕기로 모은 쌀의 무게가 42.3 kg입니다. 18명의 이웃에게 똑같이 나누어 주려고 할 때, 1명에게 주는 쌀의 무게는 몇 kg일까요?

풀이 $42.3 \div 18 = 2.35$

답 2.35 kg

$\frac{423}{10} \times \frac{1}{18} = \frac{47}{20} = \frac{235}{100} = 2.35$

**54** 선생님이 오렌지 주스 10.8 L를 8명에게 똑같이 나누어 주려고 합니다. 한 명에게 줄 수 있는 오렌지 주스는 몇 L일까요?

풀이 $10.8 \div 8 = 1.35$

답 1.35 L

$\frac{108}{10} \times \frac{1}{8} = \frac{27}{20} = \frac{135}{100} = 1.35$

**55** 색테이프 1.9 m를 친구 1명과 내가 똑같이 나누려고 합니다. 친구에게 줄 수 있는 색테이프는 몇 m일까요?

풀이 $1.9 \div 2 = 0.95$

답 0.95 m

$\frac{19}{10} \times \frac{1}{2} = \frac{19}{20} = \frac{95}{100} = 0.95$

**56** 정육점에서 돼지고기 8.6 kg을 5팩으로 똑같이 나누어 팔려고 합니다. 1팩에 들어갈 돼지고기의 무게는 몇 kg일까요?

풀이 $8.6 \div 5 = 1.72$

답 1.72 kg

$\frac{86}{10} \times \frac{1}{5} = \frac{86}{50} = \frac{172}{100} = 1.72$

**연마 Check** 칭찬이나 노력할 점을 써 주세요.

| 맞힌 개수 | | 지도 의견 | | 확인란 |
|---|---|---|---|---|
| | 개 | 나의 생각 | | |

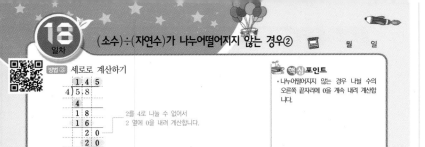

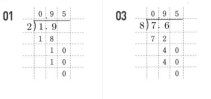

# 18 일차

## (소수)÷(자연수)가 나누어떨어지지 않는 경우②

월  일

방법③ 세로로 계산하기

```
      1.4 5
  4)5.8
    4
    1 8
    1 6
      2 0
      2 0
        0
```

2를 4로 나눌 수 없어서
2 옆에 0을 내려 계산합니다.

🚀 핵심포인트
· 나누어떨어지지 않는 경우 나눌 수의 오른쪽 끝자리에 0을 계속 내려 계산합니다.

⏳ (01~06) 빈칸에 알맞은 수를 써넣으세요.

01
```
      0.9 5
  2)1.9
    1 8
      1 0
      1 0
        0
```

03
```
      0.9 5
  8)7.6
    7 2
      4 0
      4 0
        0
```

05
```
      0.9 5
  2)1.9
    1 8
      1 0
      1 0
        0
```

02
```
      1.3 5
  6)8.1
    6
    2 1
    1 8
      3 0
      3 0
        0
```

04
```
      7.7 5
  6)46.5
    4 2
      4 5
      4 2
        3 0
        3 0
          0
```

06
```
      3.3 4
  5)16.7
    1 5
      1 7
      1 5
        2 0
        2 0
          0
```

80  3. 소수의 나눗셈

---

# 계산력 강화하기

정확하게 풀어보아요

🖩 (07~24) 계산을 하세요.

07
```
     1.48
  5)7.4
```

13
```
     1.38
  5)6.9
```

19
```
     0.96
  5)4.8
```

08
```
     0.65
  4)2.6
```

14
```
     0.15
  6)0.9
```

20
```
     1.55
  4)6.2
```

09
```
     4.45
  2)8.9
```

15
```
     4.15
  2)8.3
```

21
```
     3.75
  2)7.5
```

10
```
     2.46
  5)12.3
```

16
```
     0.16
  5)0.8
```

22
```
     0.45
  6)2.7
```

11
```
     0.95
  8)7.6
```

17
```
     0.65
  8)5.2
```

23
```
     4.65
  4)18.6
```

12
```
     0.35
  6)2.1
```

18
```
     6.35
  4)25.4
```

24
```
     2.22
  5)11.1
```

(소수)÷(자연수)가 나누어떨어지지 않는 경우②  81

---

사고력 확장

# 구조화 하기

구조화 하기를 연습하면 서술형도 쉽게 풀어요

🐋 (25~45) 빈칸에 알맞은 수를 써넣으세요.

25  1.8 ÷4 0.45

32  3.5 ÷2 1.75

39  3.8 ÷4 0.95

26  1.3 ÷5 0.26

33  42.8 ÷8 5.35

40  2.7 ÷2 1.35

27  5.1 ÷6 0.85

34  35.8 ÷4 8.95

41  32.6 ÷4 8.15

28  3.1 ÷2 1.55

35  10.5 ÷6 1.75

42  32.7 ÷6 5.45

29  1.2 ÷8 0.15

36  2.3 ÷5 0.46

43  18.8 ÷8 2.35

30  21.9 ÷6 3.65

37  7.8 ÷4 1.95

44  9.4 ÷4 2.35

31  5.8 ÷5 1.16

38  3.6 ÷8 0.45

45  31.4 ÷5 6.28

82  3. 소수의 나눗셈

---

사고력 확장

# 서술형 풀어보기

구조화 해서 풀어보아요

46  정육각형의 둘레가 6.9 cm일 때, 한 변의 길이는 몇 cm일까요?

풀이과정

(1) 정육각형의 둘레는 [6.9] cm입니다.

(2) 정육각형은 [6] 변으로 이루어졌습니다.

6.9 ÷6 1.15

(3) 정육각형 한 변의 길이는 [6.9] ÷ [6] = [1.15] cm입니다.

❓ (47~50) 풀이과정을 쓰고 답을 구하세요.

47  5켤레의 똑같은 털부츠의 무게가 8.8 kg이라고 할 때, 털부츠 1켤레의 무게는 몇 kg일까요?

풀이  8.8÷5=1.76

답  1.76  kg

49  22.6 m의 도로에 4구간으로 똑같이 나누어 가로등을 설치했습니다. 설치된 가로등 사이의 거리는 몇 m일까요? (단, 가로등의 두께는 생각하지 않습니다.)

풀이  22.6÷4=5.65

답  5.65  m

48  높이가 1.3 m인 포스터를 반으로 접어서 보관하려고 합니다. 반으로 접힌 길이는 몇 m일까요?

풀이  1.3÷2=0.65

답  0.65  m

50  8권의 똑같은 영어사전의 무게가 19.6 kg일 때, 영어사전 한 권의 무게는 몇 kg일까요?

풀이  19.6÷8=2.45

답  2.45  kg

연마 Check  칭찬이나 노력할 점을 써 주세요.

| 맞힌 개수 | 지도 의견 | | 확인란 |
|---|---|---|---|
| 개 | 나의 생각 | | |

(소수)÷(자연수)가 나누어떨어지지 않는 경우②  83

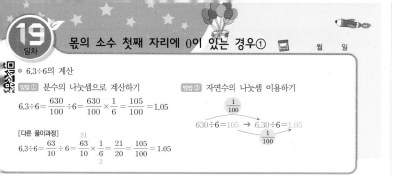

# 19 일차 몫의 소수 첫째 자리에 0이 있는 경우 ①

월 일

● 6.3÷6의 계산

**방법①** 분수의 나눗셈으로 계산하기

$6.3 \div 6 = \frac{630}{100} \div 6 = \frac{630}{100} \times \frac{1}{6} = \frac{105}{100} = 1.05$

[다른 풀이과정]

$6.3 \div 6 = \frac{63}{10} \div 6 = \frac{63}{10} \times \frac{1}{6} = \frac{21}{20} = \frac{105}{100} = 1.05$

**방법②** 자연수의 나눗셈 이용하기

$630 \div 6 = 105 \rightarrow 6.30 \div 6 = 1.05$

## [01~09] 계산을 하세요.

**01** $614 \div 2 = \boxed{307}$
→ $6.14 \div 2 = \boxed{3.07}$

**04** $324 \div 3 = \boxed{108}$
→ $3.24 \div 3 = \boxed{1.08}$

**07** $520 \div 5 = \boxed{104}$
→ $5.2 \div 5 = \boxed{1.04}$

**02** $840 \div 8 = \boxed{105}$
→ $8.4 \div 8 = \boxed{1.05}$

**05** $1830 \div 6 = \boxed{305}$
→ $18.3 \div 6 = \boxed{3.05}$

**08** $1435 \div 7 = \boxed{205}$
→ $14.35 \div 7 = \boxed{2.05}$

**03** $16.2 \div 4 = \frac{\boxed{1620}}{100} \div 4$
$= \frac{\boxed{1620} \div \boxed{4}}{100} = \frac{\boxed{405}}{100}$
$= \boxed{4.05}$

**06** $8.1 \div 2 = \frac{\boxed{810}}{100} \div 2$
$= \frac{\boxed{810} \div \boxed{2}}{100} = \frac{\boxed{405}}{100}$
$= \boxed{4.05}$

**09** $10.1 \div 5 = \frac{\boxed{1010}}{100} \div 5$
$= \frac{\boxed{1010} \div \boxed{5}}{100} = \frac{\boxed{202}}{100}$
$= \boxed{2.02}$

84  3. 소수의 나눗셈

## 계산력 강화하기

정확하게 풀어보아요

### [10~27] 계산을 하세요.

**10** $8.2 \div 4 = 2.05$
**16** $3.24 \div 3 = 1.08$
**22** $5.1 \div 5 = 1.02$

**11** $6.12 \div 6 = 1.02$
**17** $54.3 \div 6 = 9.05$
**23** $8.12 \div 4 = 2.03$

**12** $5.4 \div 5 = 1.08$
**18** $10.2 \div 5 = 2.04$
**24** $9.21 \div 3 = 3.07$

**13** $7.21 \div 7 = 1.03$
**19** $64.4 \div 8 = 8.05$
**25** $40.4 \div 8 = 5.05$

**14** $24.4 \div 8 = 3.05$
**20** $4.2 \div 4 = 1.05$
**26** $36.2 \div 4 = 9.05$

**15** $6.1 \div 2 = 3.05$
**21** $60.4 \div 5 = 12.08$
**27** $12.3 \div 6 = 2.05$

몫의 소수 첫째 자리에 0이 있는 경우① 85

## 구조화 하기

구조화 하기를 연습하면 서술형도 쉽게 풀어요

### [28~48] 빈칸에 알맞은 수를 써넣으세요.

**28** $7.28 \xrightarrow{\div 7} 1.04$
**35** $5.3 \xrightarrow{\div 5} 1.06$
**42** $24.16 \xrightarrow{\div 8} 3.02$

**29** $30.3 \xrightarrow{\div 6} 5.05$
**36** $54.3 \xrightarrow{\div 6} 9.05$
**43** $6.18 \xrightarrow{\div 6} 1.03$

**30** $25.2 \xrightarrow{\div 5} 5.04$
**37** $18.27 \xrightarrow{\div 3} 6.09$
**44** $10.3 \xrightarrow{\div 5} 2.06$

**31** $4.36 \xrightarrow{\div 4} 1.09$
**38** $24.4 \xrightarrow{\div 8} 3.05$
**45** $42.56 \xrightarrow{\div 7} 6.08$

**32** $14.56 \xrightarrow{\div 7} 2.08$
**39** $42.35 \xrightarrow{\div 7} 6.05$
**46** $40.4 \xrightarrow{\div 8} 5.05$

**33** $18.1 \xrightarrow{\div 2} 9.05$
**40** $4.1 \xrightarrow{\div 2} 2.05$
**47** $24.2 \xrightarrow{\div 4} 6.05$

**34** $40.3 \xrightarrow{\div 5} 8.06$
**41** $45.81 \xrightarrow{\div 9} 5.09$
**48** $20.2 \xrightarrow{\div 5} 4.04$

86  3. 소수의 나눗셈

## 서술형 풀어보기

구조화 해서 풀어보아요

**49** 12.2 km 마라톤 경기대회에서 4구간으로 거리의 길이를 똑같이 나누려고 합니다. 한 구간의 거리는 몇 km일까요?

**풀이과정**

(1) 마라톤 경기 완주거리는 $\boxed{12.2}$ km입니다.

(2) 시작점에서 완주지점까지 $\boxed{4}$ 구간으로 나누려고 합니다.

(3) 한 구간의 거리는 $\boxed{12.2} \div \boxed{4} = \boxed{3.05}$ km입니다.

$12.2 \xrightarrow{\div 4} 3.05$

### [50~53] 풀이과정을 쓰고 답을 구하세요.

**50** 솜뭉치 84.6 g을 12모둠에게 똑같이 나누어 주려고 합니다. 한 모둠이 가질 솜뭉치는 몇 g일까요?

풀이 $84.6 \div 12 = 7.05$

답 7.05 g

$\frac{846}{10} \times \frac{1}{12} = \frac{141}{20} = \frac{705}{100} = 7.05$

**51** 딸기주스 6.3 L를 6명에게 똑같이 나누어 주려고 합니다. 1명이 마실 수 있는 딸기주스는 몇 L일까요?

풀이 $6.3 \div 6 = 1.05$

답 1.05 L

$\frac{630}{100} \times \frac{1}{6} = \frac{105}{100} = 1.05$

**52** 꽃가게에서 리본 40.1 m를 똑같이 나누어 5개의 꽃다발을 포장하려고 합니다. 꽃다발 한 개를 포장하는데 사용할 리본은 몇 m일까요?

풀이 $40.1 \div 5 = 8.02$

답 8.02 m

$\frac{4010}{100} \times \frac{1}{5} = \frac{802}{100} = 8.02$

**53** 수조에 받아둔 108.54 L의 바닷물을 9개의 어항으로 똑같이 나누려고 합니다. 어항 1개에 들어가는 바닷물은 몇 L일까요?

풀이 $108.54 \div 9 = 12.06$

답 12.06 L

$\frac{10854}{100} \times \frac{1}{9} = \frac{1206}{100} = 12.06$

**연마 Check** 칭찬이나 노력할 점을 써 주세요.

| 맞힌 개수 | | 지도 의견 | | 확인란 |
|---|---|---|---|---|
| | 개 | 나의 생각 | | |

몫의 소수 첫째 자리에 0이 있는 경우① 87

## 20 일차 몫의 소수 첫째 자리에 0이 있는 경우②

월 일

● 6.3÷6의 계산

**방법③** 세로로 계산하기

```
        1.05
    6) 6.3
       6
         30
         30
          0
```

→ 소수 첫째 자리 계산에서 나눌 수 없으므로 몫의 자리에 0을 쓰고 다음 자리의 수를 내려 계산합니다.

**핵심포인트**

세로로 계산하기 중 나눌 수가 나누는 수보다 작을 경우에는 몫에 0을 쓰고 0을 하나 더 내려 계산합니다.

⏳ (01~06) 계산을 하세요.

**01**
```
        1.0 4
    3) 3.1 2
       3
         1 2
         1 2
           0
```

**02**
```
        2.0 5
    3) 6.1 5
       6
         1 5
         1 5
           0
```

**03**
```
        0.0 5
    6) 0.3
       0
         3 0
         3 0
           0
```

**04**
```
        3.0 5
    4) 1 2.2
       1 2
           2 0
           2 0
             0
```

**05**
```
        1.0 7
    4) 4.2 8
       4
         2 8
         2 8
           0
```

**06**
```
        1.0 8
    9) 9.7 2
       9
         7 2
         7 2
           0
```

---

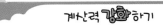 

📖 (07~24) 계산을 하세요.

**07**
```
        5.02
    4) 20.08
```

**08**
```
        2.08
    2) 4.16
```

**09**
```
        3.06
    3) 9.18
```

**10**
```
        1.06
    4) 4.24
```

**11**
```
        1.03
    7) 7.21
```

**12**
```
        4.05
    8) 32.4
```

**13**
```
        1.07
    8) 8.56
```

**14**
```
        1.05
    9) 9.45
```

**15**
```
        2.07
    3) 6.21
```

**16**
```
        2.08
    4) 8.32
```

**17**
```
        2.04
    6) 12.24
```

**18**
```
        7.02
    5) 35.1
```

**19**
```
        9.05
    6) 54.3
```

**20**
```
        1.06
    3) 3.18
```

**21**
```
        1.07
    7) 7.49
```

**22**
```
        1.02
    5) 5.1
```

**23**
```
        1.03
    8) 8.24
```

**24**
```
        1.05
    5) 5.25
```

---

사고력 확장    **구조화 하기**    구조화 하기를 연습하면 서술형도 쉽게 풀어요

🐋 (25~45) 빈칸에 알맞은 수를 써넣으세요.

**25** 20.12 ÷4 = 5.03

**26** 10.35 ÷5 = 2.07

**27** 28.28 ÷7 = 4.04

**28** 4.12 ÷2 = 2.06

**29** 30.48 ÷6 = 5.08

**30** 18.24 ÷3 = 6.08

**31** 9.27 ÷9 = 1.03

**32** 0.15 ÷3 = 0.05

**33** 4.1 ÷2 = 2.05

**34** 7.14 ÷7 = 1.02

**35** 45.4 ÷5 = 9.08

**36** 64.72 ÷8 = 8.09

**37** 24.12 ÷6 = 4.02

**38** 24.36 ÷4 = 6.09

**39** 8.32 ÷8 = 1.04

**40** 6.18 ÷6 = 1.03

**41** 2.14 ÷2 = 1.07

**42** 16.2 ÷4 = 4.05

**43** 25.05 ÷5 = 5.01

**44** 14.63 ÷7 = 2.09

**45** 27.72 ÷9 = 3.08

---

사고력 확장    **서술형 풀어보기**    구조화 해서 풀어보아요

**46** 전체 넓이가 50.9 m²인 독서실을 10구역으로 면적을 똑같이 나누어 책상을 설치하려고 합니다. 하나의 구역의 넓이는 몇 m²일까요?

**풀이과정**

(1) 독서실의 전체 넓이는 50.9 m²입니다.

(2) 10 개의 구역으로 똑같이 나누려고 합니다.    50.9 ÷10 = 5.09

(3) 하나의 구역의 넓이는 50.9 ÷ 10 = 5.09 m²입니다.

❓ (47~50) 풀이과정을 쓰고 답을 구하세요.

**47** 다음 중 가장 큰 수를 가장 작은 수로 나누세요.

| 5.22 | 3.14 | 12.1 |
|------|------|------|
| 2    | 2.1  |      |

가장 큰 수: 12.1, 가장 작은 수: 2

풀이 12.1÷2=6.05

답 6.05

**48** 밀가루 54.24 kg을 6개의 빵가게에 똑같이 나누어 보내려고 합니다. 한 개의 빵가게에 보낼 밀가루는 몇 kg일까요?

풀이 54.24÷6=9.04

답 9.04 kg

**49** 다음의 계산 결과를 비교하여 몫이 큰 수의 기호를 쓰세요.

| ㉠ 16.64 ÷ 8 | ㉡ 4.18 ÷ 2 |
|---|---|

풀이 ㉠: 2.08, ㉡: 2.09, ㉠<㉡

답 ㉡

**50** 한 변의 길이가 같은 정사각형과 정오각형의 변의 길이를 모두 더했더니 36.18 cm였습니다. 정사각형 한 변의 길이는 몇 cm일까요?

풀이 36.18÷(4+5)=36.18÷9=4.02

답 4.02 cm

**연마 Check** 칭찬이나 노력할 점을 써 주세요.

| 맞힌 개수 | 지도 의견 | | 확인란 |
|---|---|---|---|
| 개 | 나의 생각 | | |

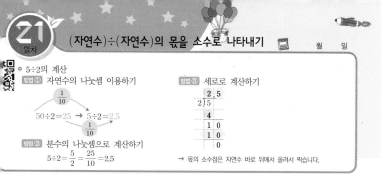

## 21일차 (자연수)÷(자연수)의 몫을 소수로 나타내기

월 일

● 5÷2의 계산

**방법①** 자연수의 나눗셈 이용하기

$$50÷2=25 \rightarrow 5÷2=2.5$$

**방법②** 분수의 나눗셈으로 계산하기

$$5÷2=\frac{5}{2}=\frac{25}{10}=2.5$$

**방법③** 세로로 계산하기

```
    2.5
2)5
  4
  1 0
  1 0
    0
```

→ 몫의 소수점은 자연수 바로 뒤에서 올려서 찍습니다.

[01~09] 빈칸에 알맞은 수를 써넣으세요.

**01** 30÷5= 6
3÷5= 0.6

**04** 1800÷8= 225
18÷8= 2.25

**07** 700÷4= 175
7÷4= 1.75

**02**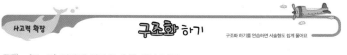
$9÷6=\dfrac{9}{6}=\dfrac{15}{10}$
= 1.5

**05** $14÷4=\dfrac{14}{4}=\dfrac{35}{10}$
= 3.5

**08** $12÷5=\dfrac{12}{5}=\dfrac{24}{10}$
= 2.4

**03**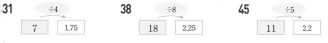
```
    1.4
5)7
  5
  2 0
  2 0
    0
```

**06**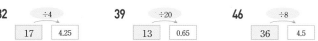
```
    1.5
8)12
  8
  4 0
  4 0
    0
```

**09**
```
    1 0 1
10)1 0 1
   1 0
     1 0
     1 0
       0
```

92  3. 소수의 나눗셈

---

[10~30] 계산을 하세요.

**10** 11÷4
=2.75

**17** 27÷12
=2.25

**24** 16÷25
=0.64

**11** 14÷8
=1.75

**18** 7÷2
=3.5

**25** 9÷4
=2.25

**12** 17÷2
=8.5

**19** 21÷6
=3.5

**26** 22÷8
=2.75

**13** 195÷6
=32.5

**20** 30÷8
=3.75

**27** 13÷4
=3.25

**14** 27÷5
=5.4

**21** 6÷5
=1.2

**28** 4÷25
=0.16

**15** 3÷4
=0.75

**22** 12÷16
=0.75

**29** 42÷15
=2.8

**16** 14÷8
=1.75

**23** 25÷4
=6.25

**30** 42÷12
=3.5

(자연수)÷(자연수)의 몫을 소수로 나타내기  93

---

[31~51] 빈칸에 알맞은 수를 써넣으세요.

**31** 7 ÷4 1.75

**38** 18 ÷8 2.25

**45** 11 ÷5 2.2

**32** 17 ÷4 4.25

**39** 13 ÷20 0.65

**46** 36 ÷8 4.5

**33** 9 ÷12 0.75

**40** 33 ÷22 1.5

**47** 10 ÷4 2.5

**34** 6 ÷15 0.4

**41** 22 ÷8 2.75

**48** 12 ÷25 0.48

**35** 20 ÷8 2.5

**42** 6 ÷8 0.75

**49** 30 ÷24 1.25

**36** 15 ÷2 7.5

**43** 13 ÷4 3.25

**50** 19 ÷20 0.95

**37** 24 ÷16 1.5

**44** 21 ÷12 1.75

**51** 52 ÷16 3.25

94  3. 소수의 나눗셈

---

**52** 찰흙 2 kg을 8명이 똑같이 나누어 가지려고 합니다. 한 명이 가질 찰흙은 몇 kg일까요?

**풀이과정**

(1) 찰흙의 총 무게는 2 kg입니다.

(2) 사람은 모두 8 명입니다.

(3) 한 명이 갖는 찰흙은 2 ÷ 8 = 0.25 kg입니다.

2 ÷8 0.25

[53~56] 풀이과정을 쓰고 답을 구하세요.

**53** 47 m의 끈이 있는데 20명이 똑같이 나누려고 합니다. 한 사람이 가져가는 끈은 몇 m일까요?

풀이 47÷20=2.35

답 2.35 m

**55** 넓이가 319 m²인 직사각형 모양의 강당의 가로의 길이가 22 m일 때, 세로의 길이는 몇 m일까요?

풀이 319÷22=14.5

답 14.5 m

**54** 커피회사에서 커피가루 123 kg을 75개의 병에 똑같이 나누어 담았습니다. 병 한 개에 넣을 커피가루는 몇 kg일까요?

풀이 123÷75=1.64

답 1.64 kg

**56** 똑같은 통조림 25개의 무게는 21 kg입니다. 통조림 한 개의 무게는 몇 kg일까요?

풀이 21÷25=0.84

답 0.84 kg

**엄마 Check** 칭찬이나 노력할 점을 써 주세요.

| 맞힌 개수 | | 지도 의견 | | 확인란 |
|---|---|---|---|---|
| | 개 | 나의 생각 | | |

(자연수)÷(자연수)의 몫을 소수로 나타내기  95

# 22 일차 어림셈하여 몫의 소수점 찍기

월 일

• 5.91 ÷ 3을 어림하여 계산하기
→ 5.91을 반올림하여 일의 자리까지 나타내면 6으로 어림할 수 있습니다.

→ 어림셈하여 몫의 소수점찍기
나눌 수를 6으로 어림하였으므로 6÷3을 계산하면 2입니다.
5.91÷3의 실제 몫은 1.97입니다.

**핵심포인트**

• 나눗셈에서 몫이 나누어 떨어지지 않을 때에는 반올림, 올림, 버림을 이용하여 몫을 어림하여 답할 수 있습니다.

• 어림하여 구한 몫과 가까운 수가 되도록 몫의 소수점의 위치를 찾아 소수점을 찍습니다.

 **[01~12] 소수를 반올림하여 일의 자리까지 나타낸 후, 어림한 식으로 나타내어 보세요.**

**01** 49.5÷5
→ 50 ÷ 5

**05** 35.6÷2
→ 36 ÷ 2

**09** 27.3÷9
→ 27 ÷ 9

**02** 23.6÷4
→ 24 ÷ 4

**06** 16.42÷8
→ 16 ÷ 8

**10** 63.1÷7
→ 63 ÷ 7

**03** 40.4÷8
→ 40 ÷ 8

**07** 23.76÷6
→ 24 ÷ 6

**11** 53.8÷9
→ 54 ÷ 9

**04** 30.3÷6
→ 30 ÷ 6

**08** 20.7÷3
→ 21 ÷ 3

**12** 71.9÷8
→ 72 ÷ 8

---

# 계산력 강화하기

정확하게 풀어보아요

**[13~22] 어림하여 몫의 소수점 위치를 찾아 소수점을 찍으세요.**

**13** 71.4÷7
어림 70÷7 → 약 10
몫 1□0□2

**18** 36.8÷5
어림 37÷5 → 약 7.4
몫 7□3□6

**14** 91.2÷3
어림 90÷3 → 약 30
몫 3□0□4

**19** 80.91÷9
어림 81÷9 → 약 9
몫 8□9□9

**15** 17.44÷8
어림 16÷8 → 약 2
몫 2□1□8

**20** 7.96÷4
어림 8÷4 → 약 2
몫 1□9□9

**16** 4.76÷4
어림 4÷4 → 약 1
몫 1□1□9

**21** 49.65÷5
어림 50÷5 → 약 10
몫 9□9□3

**17** 20.61÷3
어림 21÷3 → 약 7
몫 6□8□7

**22** 14.28÷7
어림 14÷7 → 약 2
몫 2□0□4

---

사고력 확장

# 구조화 하기

구조화 하기를 연습하면 서술형을 쉽게 풀어요

 **[23~32] 소수를 반올림하여 일의 자리까지 나타내어 어림식으로 나타내고, 어림셈하여 몫의 소수점 위치를 찾아 소수점을 찍어 보세요.**

**23** 59.52÷3
어림 60 ÷3 → 약 20
몫 1□9□8□4

**28** 34.7÷5
어림 35 ÷5 → 약 7
몫 6□9□4

**24** 17.88÷6
어림 18 ÷6 → 약 3
몫 2□9□8

**29** 95.6÷8
어림 96 ÷8 → 약 12
몫 1□1□9□5

**25** 27.8÷4
어림 28 ÷4 → 약 7
몫 6□9□5

**30** 9.36÷3
어림 9 ÷3 → 약 3
몫 3□1□2

**26** 11.64÷3
어림 12 ÷3 → 약 4
몫 3□8□8

**31** 13.65÷7
어림 14 ÷7 → 약 2
몫 1□9□5

**27** 64.4÷8
어림 64 ÷8 → 약 8
몫 8□0□5

**32** 54.06÷6
어림 54 ÷6 → 약 9
몫 9□0□1

---

사고력 확장

# 서술형 풀어보기

구조화 해서 풀어보아요

**33** 몫을 어림하여 몫이 1보다 작은 나눗셈을 모두 찾아 그 기호를 쓰세요.

| ㉠ 6.37÷7 | ㉡ 7.16÷8 | ㉢ 18.36÷6 | ㉣ 17.66÷9 |

**풀이과정**

㉠ 어림 6.3÷7 → 약 0.9    ㉡ 어림 7.2÷8 → 약 0.9

㉢ 어림 18÷6 → 약 3    ㉣ 어림 18÷9 → 약 2

그러므로 ㉠, ㉡ 의 몫이 1보다 작습니다.

**[34~37] 풀이과정을 쓰고 답을 구하세요.**

**34** 다음 어림셈을 이용하여 올바른 식에 ○표 하세요.

19.65÷5를 어림하여 계산하면 20÷5=4입니다.

㉠ 19.65÷5=3.93    ( ○ )
㉡ 19.65÷5=39.3    (    )

풀이 어림셈 계산이 20÷5=4이므로 3.93이 답이 됩니다.

**36** 다음 나눗셈의 몫을 어림하여 몫이 가장 큰 나눗셈을 찾아 기호를 쓰세요.

| ㉮ 2.67÷3 | ㉯ 11.7÷4 |
| ㉰ 5.3÷5 | ㉱ 14.2÷7 |

풀이 ㉮ 3÷3=1  ㉯ 12÷4=3
㉰ 5÷5=1  ㉱ 14÷7=2

답

**35** 55.7÷8의 몫의 소수점 위치를 찾기 위해 어림한 식을 알맞게 쓴 사람의 이름을 쓰세요.

현서: 560÷8    도원: 56÷8

풀이 55.7÷8을 어림하면 56÷8이 됩니다.

답 도원

**37** 95.64÷6을 어림셈하여 몫의 소수점 위치를 찾아 소수점을 찍고, 그 이유를 설명해 보세요.

어림 → 96÷6=16
1□5□9□4

풀이 어림셈하면 96÷6=16이므로
95.64÷6=15.94

 **연마 Check** 칭찬이나 노력할 것을 써 주세요.

| 맞힌 개수 | | 지도 의견 | | 확인란 |
| --- | --- | --- | --- | --- |
| | 개 | 나의 생각 | | |

# 23
일차

## 두 수 비교하기, 비와 비율을 구하기

월 일

● 두 수를 비교하기
장미는 12송이, 튤립은 24송이
일 때

**방법①** 뺄셈으로 비교
튤립의 수에서 장미의 수를 빼면
→ 24−12=12
→ 튤립이 장미보다 12송이 많습니다.
**방법②** 나눗셈으로 비교
(튤립의 수)÷(장미의 수) → 24÷12=2
→ 튤립의 수는 장미의 수의 2배입니다.

● 비와 비율
남학생 수가 13명, 여학
생 수가 11명일 때

**비** 비교하는 양과 기준량의 비
→(비교하는 양) : (기준량)
여학생 수에 대한 남학생의 비→13:11
→ 기준량은 여학생

비율 = (비교하는 양)/(기준량) = 남학생 수/여학생 수 = 13/11

**핵심 포인트**

비: 두 수를 비교하기 위해 ':' 을 사용해 나타낸 것, 기준이 되는 것이 뒤에 옵니다.

비율: 비교하는 양을 기준량으로 나눈 값

비율은 분수 또는 소수로 나타낼 수 있습니다.

13:11 읽는 법: 13 대 11, 13과 11의 비, 11에 대한 13의 비, 13의 11에 대한 비

**[01~03] 두 수를 뺄셈으로 비교해 보세요.**

**01** 사과 9개, 배 6개
→ 9−6=3
사과 가 배 보다 3 개
더 많습니다.

**02** 붕어 23마리, 잉어 16마리
→ 23−16=7
붕어 가 잉어 보다 7 마리
더 많습니다.

**03** 선생님 5명, 학생 49명
→ 49−5=44
학생 이 선생님 보다 44 명
더 많습니다.

**[04~06] 두 수를 나눗셈으로 비교해 보세요**

**04** 지우개 8개, 연필 12개
→ 12÷8=1.5
연필 의 수는 지우개 의
수의 1.5 배 입니다.

**05** 빵 10개, 우유 30개
→ 30÷10=3
우유 의 수는 빵 의
수의 3 배 입니다.

**06** 달걀 16개, 오리 알 64개
→ 64÷16=4
오리 알 의 수는 달걀 의
수의 4 배 입니다.

100  4. 비와 비율

---

## 계산력 강화하기

정확하게 풀어보아요

**[07~15] 빈칸을 채우세요.**

**07** 4 대 6 → 4 : 6

**08** 9에 대한 13의 비 → 13 : 9

**09** 5와 16의 비 → 5 : 16

**10** 남학생의 여학생에 대한 비
→ 남학생 : 여학생

**11** 7 : 22 → 22 에 대한 7 의 비

**12** 연필이 6개, 지우개가 7개일 때
지우개 수와 연필 수의 비
→ 7 : 6

**13** 8의 3에 대한 비 → 8 : 3

**14** 5에 대한 19의 비 → 19 : 5

**15** 39 : 21 → 39 의 21 에 대한 비

**[16~20] 맞으면 ○표, 틀리면 ×표한 뒤에 바르게 고치세요.**

**16** 3 : 1에서 비교하는 양은 1입니다.
( ×, 3이 비교하는 양, 1이 기준량 )

**17** 비 3 : 10을 비율로 나타내면 3.1입니다.
( ×, 비율로 나타내면 0.3 )

**18** 비율 9/10 의 기준량은 10입니다.
( ○ )

**19** 4 : 13에서 기준량은 13입니다.
( ○ )

**20** 기준량을 비교하는 양으로 나눈 값을
비의 값 또는 비율이라고 합니다.
( × 비교하는 양은 기준량으로 나눈 값 )

**[21~23] 비의 기준량에 ○표 하고, 비율을 분수로 나타내세요.**

**21** 8 : ③ → 8/3

**22** 23 : ㊲ → 23/49

**23** 세로 3cm, 가로 7cm일 때
(가로) : (세로) → 7/3

두 수 비교하기, 비와 비율 구하기  101

---

## 구조화하기

구조화 하기를 연습하면 서술형도 쉽게 풀어요

**[24~29] 빈칸에 알맞은 수를 써넣으세요.**

**24**
| 비 | 기준량 | 비율(분수) |
|---|---|---|
| 17 : 19 | 19 | 17/19 |

**25**
| 비 | 기준량 | 비율(분수) |
|---|---|---|
| 9 : 10 | 10 | 9/10 |

**26**
| 비 | 기준량 | 비율(분수) |
|---|---|---|
| 1 : 4 | 4 | 1/4 |

**27**
| 비 | 기준량 | 비율(분수) |
|---|---|---|
| 9 : 40 | 40 | 9/40 |

**28**
| 비 | 기준량 | 비율(분수) |
|---|---|---|
| 7 : 10 | 10 | 7/10 |

**29**
| 비 | 기준량 | 비율(분수) |
|---|---|---|
| 12 : 21 | 21 | 12/21 (=4/7) |

**[30~34] 빈칸을 채우세요.
분수는 기약분수로 나타내세요.**

**30** 가로 18cm, 세로 12cm인 직사각형의 가로에 대한 세로의 비율
| 비 | 비율 (분수) |
|---|---|
| 12 : 18 | 12/18 = 2/3 |

**31** 밑변 14cm, 높이 12cm인 삼각형의 밑변에 대한 높이의 비율
| 비 | 비율 (분수) |
|---|---|
| 12 : 14 | 12/14 = 6/7 |

**32** 27에 대한 18의 비율
| 비 | 비율 (분수) |
|---|---|
| 18 : 27 | 18/27 = 2/3 |

**33** 학생 51명, 선생님 3명일 때 학생 수에 대한 선생님의 수의 비율
| 비 | 비율 (분수) |
|---|---|
| 3 : 51 | 3/51 = 1/17 |

**34** 가로가 4cm, 세로가 12cm인 직사각형의 넓이에 대한 둘레의 비율
| 비 | 비율 (분수) |
|---|---|
| 32 : 48 | 32/48 = 2/3 |

둘레:32, 넓이: 48

102  4. 비와 비율

---

## 서술형 풀어보기

구조화 해서 풀어보아요

**35** 그림을 보고 전체에 대한 색칠한 부분의 비율을 기약분수로 나타내세요.

**풀이과정**

(1) (색칠한 칸 수) : (전체 칸 수)이므로 3 : 15 입니다.

(2) 분수로 나타내면 3/15 입니다.

(3) 기약분수로 나타내면 1/5 입니다.

〈그림〉

**[36~39] 풀이과정을 쓰고 답을 구하세요.**

**36** 그림을 보고 색칠되지 않은 부분에 대한 색칠된 부분의 비율을 기약분수로 나타내세요.

[그림]

풀이 9 : 15 = 9/15 = 3/5

답 3/5

**37** 진솔이는 34 kg, 진솔이 아빠는 68 kg일 때, 진솔이 아빠 몸무게에 대한 진솔이의 몸무게의 비율을 기약분수로 나타내세요.

풀이 34 : 68 = 34/68 = 1/2

답 1/2

**38** 비 21 : 9를 잘못 나타낸 사람을 고르고 바르게 고쳐보세요.

민아: 21에 대한 9의 비입니다.
도희: 비율로 나타내면 2 1/3 입니다.
진솔: 21과 9의 비입니다.

답 민아, 9에 대한 21의 비

**39** 동물원에 4종류의 동물들이 있는데 사자가 5마리, 원숭이가 12마리, 토끼가 6마리, 홍학이 11마리가 있습니다. 4종류 동물 전체 수에 대한 원숭이의 비율을 기약분수로 나타내세요.

풀이 12 : 34 = 12/34 = 6/17

답 6/17

**연마 Check** 틀렸거나 노력한 것을 써 주세요

| 맞힌 개수 | | 지도 의견 | | |
|---|---|---|---|---|
| | 개 | 나의 생각 | | 확인란 |

두 수 비교하기, 비와 비율 구하기  103

## 24 일차 — 비율을 백분율로, 백분율을 비율로 나타내기

월 일

● 비율을 백분율로 나타내기

백분율은 비율에 100을 곱한 값입니다.

→ (백분율)=(비율)×100

백분율은 기호 퍼센트(%)를 사용하여 나타냅니다.

분수를 백분율로 나타내기 $\frac{7}{10}$ → $\frac{7}{10}×100=70\%$

소수를 백분율로 나타내기 0.15 → 0.15×100=15%

● 백분율을 비율로 나타내기

백분율에서 % 기호를 떼고 100으로 나눕니다.

백분율을 분수로 나타내기 25% → $\frac{25}{100}=\frac{1}{4}$

백분율을 소수로 나타내기 25% → 25÷100=0.25

15% → 15÷100=0.15

### [01~07] 비율을 백분율로 나타내세요.

**01** $\frac{1}{5}$ → $\frac{1}{5}×100=$ 20 %

**02** 0.47 → 0.47×100= 47 %

**03** $\frac{21}{100}$ → $\frac{21}{100}×100=$ 21 %

**04** $\frac{3}{10}$ → $\frac{3}{10}×100=$ 30 %

**05** 0.31 → 0.31×100= 31 %

**06** $\frac{7}{25}$ → $\frac{7}{25}×100=$ 28 %

**07** 0.2 → 0.2×100= 20 %

### [08~14] 백분율을 분수로 나타내세요.

**08** 23% → $\frac{23}{100}$

**09** 80% → $\frac{4}{5}$

**10** 25% → $\frac{1}{4}$

**11** 7% → $\frac{7}{100}$

**12** 28% → $\frac{7}{25}$

**13** 92% → $\frac{23}{25}$

**14** 75% → $\frac{3}{4}$

---

### [15~22] 백분율을 소수로 나타내보세요.

**15** 36% → 0.36

**16** 58% → 0.58

**17** 44% → 0.44

**18** 97% → 0.97

**19** 2% → 0.02

**21** 11% → 0.11

**20** 83% → 0.83

**22** 27% → 0.27

### [23~32] 크기를 비교하여 ○안에 >, <, =를 알맞게 써넣으세요.

**23** 25% > $\frac{1}{5}$  25% = $\frac{1}{4}$

**24** 8% < $\frac{11}{100}$  8% = $\frac{8}{100}$

**25** 71% = $\frac{71}{100}$  71% = $\frac{71}{100}$

**26** 64% = $\frac{16}{25}$  64% = $\frac{64}{100}$

**27** 0.09 > 7%  9% = $\frac{9}{100}$

**28** 75% < $\frac{6}{7}$  75% = $\frac{3}{4}$

**29** 311% > 2.89  311%=3.11

**30** 4.2 < $4\frac{1}{3}$  4.2 = $4\frac{1}{5}$

**31** 60% < 0.66  60% = 0.6

**32** $\frac{2}{5}$ > 39%  $\frac{2}{5}$ = 40%

---

### [33~42] 빈칸을 채우세요.

**33**

| 비 | 비율 | | |
|---|---|---|---|
| | 분수 | 소수 | 백분율 |
| 19 : 100 | $\frac{19}{100}$ | 0.19 | 19% |

**34**

| 비 | 비율 | | |
|---|---|---|---|
| | 분수 | 소수 | 백분율 |
| 4 : 25 | $\frac{4}{25}$ | 0.16 | 16% |

**35**

| 비 | 비율 | | |
|---|---|---|---|
| | 분수 | 소수 | 백분율 |
| 20 : 16 | $\frac{20}{16}$ | 1.25 | 125% |

**36**

| 비 | 비율 | | |
|---|---|---|---|
| | 분수 | 소수 | 백분율 |
| 3 : 25 | $\frac{3}{25}$ | 0.12 | 12% |

**37**

| 비 | 비율 | | |
|---|---|---|---|
| | 분수 | 소수 | 백분율 |
| 8과 100의 비 | $\frac{8}{100}$ | 0.08 | 8% |

**38**

| 비 | 비율 | | |
|---|---|---|---|
| | 분수 | 소수 | 백분율 |
| 2와 10의 비 | $\frac{2}{10}$ | 0.2 | 20% |

**39**

| 비 | 비율 | | |
|---|---|---|---|
| | 분수 | 소수 | 백분율 |
| 100에 대한 39의 비 | $\frac{39}{100}$ | 0.39 | 39% |

**40**

| 비 | 비율 | | |
|---|---|---|---|
| | 분수 | 소수 | 백분율 |
| 100에 대한 125의 비 | $\frac{125}{100}$ | 1.25 | 125% |

**41**

| 비 | 비율 | | |
|---|---|---|---|
| | 분수 | 소수 | 백분율 |
| 200에 대한 1의 비 | $\frac{1}{200}$ | 0.005 | 0.5% |

**42**

| 비 | 비율 | | |
|---|---|---|---|
| | 분수 | 소수 | 백분율 |
| 5에 대한 3의 비 | $\frac{3}{5}$ | 0.6 | 60% |

---

**43** 색칠한 부분은 전체의 몇 %일까요?

풀이과정

(1) (색칠한 부분) : (전체) = 12 : 24 입니다.

(2) 기약분수로 나타내면 $\frac{1}{2}$ 입니다.

(3) 분수를 백분율로 나타내면 $\frac{1}{2}$ × 100 = 50 이므로 50 %입니다.

### [44~47] 풀이과정을 쓰고 답을 구하세요.

**44** 색칠한 부분은 전체의 몇 %일까요?

풀이 (색칠한 부분) : (전체) = 14 : 25

분수로 나타내면 $\frac{14}{25}$, 분수를 백분율로 나타내면 $\frac{14}{25}$ × 100 = 56%

답 56 %

**45** 연마 초등학교 6학년 학생은 100명 중 놀이공원에 78명 미술관에 22명이 소풍을 갔습니다. 전체 학생 수에 대한 미술관으로 간 학생 수의 비율을 백분율로 나타내세요.

풀이 $\frac{22}{100}$ × 100 = 22이므로 전체 학생의 22%가 됩니다.

답 22 %

**46** 도희가 케이크를 전체의 $\frac{17}{25}$ 만큼 먹었습니다. 도희가 먹은 양은 전체 케이크의 몇 %인지 백분율로 나타내세요.

풀이 $\frac{17}{25}$ × 100 = 68이므로 도희는 전체의 68%의 케이크를 먹었습니다.

답 68 %

**47** 다온이에게는 검정색 머리띠가 20개, 빨간색 머리띠가 12개 있습니다. 다온이의 검정 머리띠 개수에 대한 빨간 머리띠 개수의 비율을 백분율로 나타내세요.

풀이 (빨간 머리띠 개수) : (검정 머리띠 개수)=12 : 20, 분수로 나타내면 $\frac{3}{5}$ 이고, 백분율은 $\frac{3}{5}$ × 100 = 60

답 60 %

**연마 Check** 칭찬이나 노력할 점을 써 주세요.

| 맞힌 개수 | 지도 의견 | | 확인란 |
|---|---|---|---|
| 개 | 나의 생각 | | |

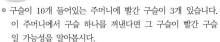

## 25일차 사건이 일어날 가능성 알아보기

월 일

구슬이 10개 들어있는 주머니에 빨간 구슬이 3개 있습니다. 이 주머니에서 구슬 하나를 꺼낸다면 그 구슬이 빨간 구슬일 가능성을 알아봅시다.

**포인트**
• 절대 일어날 수 없는 사건이 일어날 가능성은 0입니다.
• 항상 일어나는 사건이 일어날 가능성은 1입니다. 구슬이 들어있는 주머니에서 구슬을 꺼낼 가능성은 1입니다. 빨간 구슬을 꺼내지 않을 가능성은

| 전체 구슬의 수 | 빨간 구슬의 수 | 전체 구슬에 대한 빨간 구슬의 비율 |
|---|---|---|
| 10개 | 3개 | $\frac{3}{10}$ |

→ 전체 구슬에 대한 빨간 구슬의 비율이 $\frac{3}{10}$ 이므로 빨간 구슬을 꺼낼 가능성은 $\frac{3}{10}$ 입니다. 이것을 백분율로 나타내면 30 %입니다.

$1-\frac{3}{10}=\frac{7}{10}$ 이므로 $\frac{7}{10}$ 또는 70%입니다.

**[01~04]** 주머니 안에 구슬만 5개가 있는데 이 중 2개가 노란 구슬입니다.

**01** 주머니에서 구슬을 꺼낼 가능성은 1 입니다.

**02** 주머니에서 노란 구슬을 꺼낼 가능성은 $\frac{2}{5}$ 입니다.

**03** 주머니에서 연필을 꺼낼 가능성은 0 입니다.

**04** 주머니에서 노란색이 아닌 구슬을 꺼낼 가능성은 $1-\frac{2}{5}$ 이므로 $\frac{3}{5}$ 입니다. 이것을 백분율로 나타내면 60 %입니다.

**[05~07]** 양떼목장에 검은 털의 양이 8마리, 흰 털의 양이 27마리, 얼룩무늬 털의 양이 15마리 있는데 한 마리씩 울타리에 넣으려고 합니다. 다음 빈칸을 채우세요.
(다른 색의 털을 가진 양은 없습니다.)

**05** 제일 먼저 울타리에 검은 털 양을 넣을 가능성은 $\frac{4}{25}$ 입니다.
$$\frac{8}{8+27+15}=\frac{8}{50}=\frac{4}{25}$$

**06** 제일 먼저 울타리에 들어갈 가능성이 높은 색의 양은 흰 털 양입니다.

**07** 제일 먼저 울타리에 검은 털 양을 넣지 않을 가능성은 $1-\frac{4}{25}$ 이므로 $\frac{21}{25}$ 입니다. 이것을 백분율로 나타내면 84 %입니다.

---

## 계산력 강화하기

정확하게 풀어보아요

**[08~12]** 상자에 빨간 공이 32개, 파란 공이 38개, 흰 공이 30개가 있습니다.

**08** 상자에는 공이 모두 몇 개가 있을까요?
$$32+38+30=100$$

**09** 상자에서 흰 공을 꺼낼 가능성은 몇 %일까요?
전체 100개 중에 흰 공은 30개이므로 $\frac{30}{100}$ → 30%

**10** 상자에서 빨간 공을 꺼내지 않을 가능성을 분수로 쓰세요.
$$1-\frac{32}{100}=\frac{68}{100}=\frac{17}{25}$$ 그러므로 $\frac{17}{25}$

**11** 상자에서 파란 공을 꺼낼 가능성을 분수로 쓰세요.
전체 100개 중에 파란 공은 38개이므로 $\frac{38}{100}=\frac{19}{50}$

**12** 상자에서 빨간 공을 꺼낼 가능성을 백분율로 나타내보세요.
전체 100개 중에 빨간 공은 32개이므로
$$\frac{32}{100} \Rightarrow \frac{32}{100}\times100=32\%$$

**[13~14]** 연마 초등학교 6학년 학생들의 취미 생활에 대해 조사했습니다. 학생들은 4개 항목 중에 1개만 선택할 수 있습니다.

| 취미 생활 | 독서 | 악기연주 | 게임 | TV 시청 등 기타 |
|---|---|---|---|---|
| 비율 | $\frac{1}{3}$ | $\frac{3}{8}$ | $\frac{1}{12}$ | $\frac{5}{24}$ |

**13** 응답자 가운데 취미활동이 독서가 아닐 가능성을 분수로 쓰세요.
$$1-\frac{1}{3}=\frac{2}{3};\ \frac{2}{3}$$

**14** 응답자 가운데 취미활동이 게임이 아닐 가능성은 얼마일까요?
$$1-\frac{1}{12}=\frac{11}{12};\ \frac{11}{12}$$

**[15~17]** 어느 동물병원에서 일 년 동안 동물들 진료목록을 보니 강아지가 52%, 고양이가 23%, 설치류가 14%, 파충류가 6%, 조류가 4%, 어류 등 기타가 1%였습니다.

**15** 고양이와 설치류 중에 동물병원에 올 가능성이 더 높은 동물은 무엇일까요?
고양이

**16** 동물병원에 온 동물이 파충류가 아닐 가능성을 분수로 나타내세요.
$$1-\frac{6}{100}=\frac{94}{100}=\frac{47}{50}$$

**17** 동물병원에 온 동물이 강아지가 아닐 가능성을 분수로 나타내세요.
$$1-\frac{52}{100}=\frac{48}{100}=\frac{12}{25}$$

---

## 사고력 확장 구조화하기

구조화 하기를 연습하면 서술형도 쉽게 풀어요

**[18~27]** 다음 상황을 보고 일어날 가능성을 분수로 나타내세요.

**18** 반 학생 중에 여학생일 가능성이 25%일 때

| 남학생일 가능성 | $\frac{3}{4}$ |
|---|---|

$$1-\frac{1}{4}=\frac{3}{4}$$

**19** 상자 속에 고구마와 감자가 100개 있는데 고구마가 38개일 때

| 고구마가 아닐 가능성 | $\frac{31}{50}$ |
|---|---|

$$1-\frac{38}{100}=\frac{62}{100}=\frac{31}{50}$$

**20** 민주네는 일주일 중에 잡곡밥 먹는 날이 3일일 때

| 잡곡밥 아닐 가능성 | $\frac{4}{7}$ |
|---|---|

$$1-\frac{3}{7}=\frac{4}{7}$$

**21** 팥빵, 크림빵, 소보루빵을 합쳐 50개의 빵 중에 소보루빵이 12개일 때

| 소보루빵 아닐 가능성 | $\frac{19}{25}$ |
|---|---|

$$1-\frac{12}{50}=\frac{38}{50}=\frac{19}{25}$$

**22** 주머니에 파란 공이 25개, 빨간 공이 40개, 흰 공이 35개일 때

| 흰 공을 꺼낼 가능성 | $\frac{7}{20}$ |
|---|---|

$$\frac{35}{100}=\frac{7}{20}$$

**23** 책상 위 200자루의 펜 중에 검정 펜이 40자루일 때

| 검정 펜이 아닐 가능성 | $\frac{4}{5}$ |
|---|---|

$$1-\frac{40}{200}=\frac{160}{200}=\frac{4}{5}$$

**24** 옷장에 파란 옷과 흰 옷만 24벌 있을 때

| 노란 옷일 가능성 | 0 |
|---|---|

**25** 횟집 수족관에 광어와 우럭, 도미를 합쳐 24마리 중에 광어가 8마리일 때

| 광어가 아닐 가능성 | $\frac{2}{3}$ |
|---|---|

$$1-\frac{8}{24}=\frac{16}{24}=\frac{2}{3}$$

**26** 잉어 40마리 중에 황금색 잉어가 13마리일 때

| 황금색 잉어가 아닐 가능성 | $\frac{27}{40}$ |
|---|---|

$$1-\frac{13}{40}=\frac{27}{40}$$

**27** 구슬 30개 중에 파란 구슬이 5개 있을 때

| 파란 구슬이 아닐 가능성 | $\frac{5}{6}$ |
|---|---|

$$1-\frac{5}{30}=\frac{25}{30}=\frac{5}{6}$$

---

## 사고력 확장 서술형 풀어보기

구조화 해서 풀어보아요

**28** 상자에서 별이 그려진 종이를 뽑는 사람이 설거지하기로 했습니다. 상자 안에 종이가 20장 들어있고, 별이 그려진 종이는 2장입니다. 설거지하지 않을 가능성을 백분율로 나타내세요.

**풀이과정**

(1) 별이 그려진 종이를 뽑을 가능성은 $\frac{1}{10}$ 입니다.

(2) 설거지를 하지 않을 가능성 = $1-\frac{1}{10}$ 입니다.

설거지하지 않을 가능성 $1-\frac{1}{10}=\frac{9}{10}$

(3) 백분율로 나타내면 90 %입니다.

**[29~30]** 경품뽑기 상자에 공이 50개 있는데 금색이 1개, 검은색이 38개, 노란색이 11개라고 합니다. 이 중 금색을 뽑으면 상품권을, 노란색을 뽑으면 식용유를, 검은색을 뽑으면 막대사탕을 줍니다.

**29** 식용유를 받을 가능성을 분수로 구해 보세요.

답 $\frac{11}{50}$

**30** 막대사탕을 받을 가능성은 몇 %일까요?

풀이 $\frac{38}{50}\times100=76$

답 76 %

**[31~32]** 수족관 어항에 검정 붕어가 29마리, 빨간 붕어가 48마리, 얼룩무늬 붕어가 23마리 있습니다. 수족관 주인은 손님이 원하는 색상을 주지 않고 뜰채로 아무 붕어나 떠서 담아준다고 합니다.

**31** 빨간 붕어를 받을 가능성을 분수로 쓰세요.

답 $\frac{12}{25}$

**32** 검정 붕어를 받지 못할 가능성은 얼마일까요? 백분율로 나타내세요.

풀이 $1-\frac{29}{100}=\frac{71}{100}$ 이므로 71 %

답 71 %

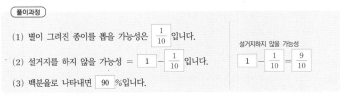

**연마 Check** 칭찬이나 노력할 점을 써 주세요.

| 맞힌 개수 | 지도 의견 | |
|---|---|---|
| 개 | 나의 생각 | 확인란 |

# 26 일차 비교하는 양, 기준량 구하기

월 일

• 비율과 기준량으로 비교하는 양 구하기
(비교하는 양)=(기준량)×(비율)

→ 가로가 8 cm, 세로가 6 cm인 그림을 20% 축소했을 때, 축소한 가로의 길이

① 백분율을 분수나 소수로 나타냅니다.
20% → 0.2 또는 $\frac{1}{5}$

② 기준량은 처음 가로의 길이입니다.
(축소한 그림의 가로 길이)=8×0.2=1.6 cm

• 비율과 비교하는 양으로 기준량 구하기
(기준량)=(비교하는 양)÷(비율)

→ 10%로 축소한 그림의 가로의 길이가 10 cm라고 할 때, 원래 그림의 가로의 길이

① 백분율을 분수로 나타냅니다. 10% → $\frac{1}{10}$

② 기준량은 처음 가로의 길이입니다.
(처음 가로의 길이)
= $10÷\frac{1}{10}=10×\frac{10}{1}=100$ cm

 [01~06] 비교하는 양을 구해 보세요.

**01** 한 변의 길이가 40 cm인 정사각형의 한 변의 길이를 60% 축소했을 때, 축소한 한 변의 길이

(비교하는 양)= 40 × 0.6 = 24 cm

**02** 가로가 70 cm, 세로가 100 cm인 직사각형의 세로의 길이를 250% 확대했을 때, 확대한 세로의 길이

(비교하는 양)= 100 × 2.5 = 250 cm

**03** 사탕 100개의 $\frac{9}{20}$ 개

(비교하는 양)= 100 × $\frac{9}{20}$ = 45 개

**04** 20000원짜리 물건을 30 % 할인할 때 할인받는 가격

(비교하는 양)= 20000 × 0.3 = 6000 원

**05** 한 변이 28 cm인 정삼각형의 한 변의 길이를 40 % 축소했을 때, 축소한 한 변의 길이

(비교하는 양)= 28 × 0.4 = 11.2 cm

**06** 40000원의 카드 수수료 이자가 12 %일 때, 내야 할 이자 금액

(비교하는 양)= 40000 × 0.12 = 4800 원

---

 계산력 강화하기

정확하게 풀어보아요

 [07~14] 기준량을 구해 보세요.

**07** 40 %로 축소한 가로의 길이가 8 cm, 세로의 길이가 20 cm인 직사각형의 처음 가로의 길이

(기준량)= 8 ÷ $\frac{2}{5}$ = 20 cm

**08** 20 % 할인하면 8000원을 할인해주는 물건의 원래 가격

(기준량)= 8000 ÷ $\frac{1}{5}$ = 40000 원

**09** 물건 금액의 5%를 적립해주는 경우 적립된 금액이 300원일 때, 구매한 물건의 가격

(기준량)= 300 ÷ $\frac{1}{20}$ = 6000 원

**10** 25 % 축소한 사진의 가로 길이가 16 cm일 때, 처음 사진의 가로 길이

(기준량)= 16 ÷ $\frac{1}{4}$ = 64 cm

**11** 저축 예금 이자가 3 %인데 받은 이자가 12000원인 경우 예금한 돈

(기준량)= 12000 ÷ $\frac{3}{100}$ = 400000 원

**12** 여학생 수 16명이 반 전체의 40%일 때 반 전체 학생의 수

(기준량)= 16 ÷ $\frac{2}{5}$ = 40 명

**13** 140 % 확대한 한 변이 7 m인 정사각형의 처음 한 변의 길이

(기준량)= 7 ÷ $\frac{7}{5}$ = 5 m

**14** 구매한 가격의 20%를 할인해 주는 경우 할인받은 금액이 7000원일 때, 구매한 금액

(기준량)= 7000 ÷ $\frac{1}{5}$ = 35000 원

---

 구조화하기

구조화 하기를 연습하면 서술형도 쉽게 풀어요

 [15~24] 빈칸을 채우세요. 비율은 분수나 소수로 고치세요.

**15** 한 변이 100 cm인 정사각형을 60% 축소했을 때 축소한 한 변의 길이

| 기준량 | 비율 | 비교하는 양 |
|---|---|---|
| 100 cm | 0.6 또는 $\frac{3}{5}$ | 60 cm |

**16** 한 변이 40 m인 정사각형을 55% 축소했을 때 축소한 한 변의 길이

| 기준량 | 비율 | 비교하는 양 |
|---|---|---|
| 40 m | 0.55 또는 $\frac{11}{20}$ | 22 m |

**17** 25로 축소한 한 변이 20 cm인 정사각형의 처음 한 변의 길이

| 기준량 | 비율 | 비교하는 양 |
|---|---|---|
| 80 cm | 0.25 또는 $\frac{1}{4}$ | 20 cm |

**18** 80%로 축소한 직사각형의 세로의 길이가 16 cm일 때 처음 직사각형의 세로의 길이

| 기준량 | 비율 | 비교하는 양 |
|---|---|---|
| 20 cm | 0.8 또는 $\frac{4}{5}$ | 16 cm |

**19** 남학생이 260명이고 전교생 수의 52%일 때

| 기준량 | 비율 | 비교하는 양 |
|---|---|---|
| 500명 | 0.52 또는 $\frac{13}{25}$ | 260명 |

**20** 320명의 40%

| 기준량 | 비율 | 비교하는 양 |
|---|---|---|
| 320명 | 0.4 또는 $\frac{2}{5}$ | 128명 |

**21** 50개의 20%

| 기준량 | 비율 | 비교하는 양 |
|---|---|---|
| 50 개 | 0.2 또는 $\frac{1}{5}$ | 10 개 |

**22** □의 5%가 750원

| 기준량 | 비율 | 비교하는 양 |
|---|---|---|
| 15000원 | 0.05 또는 $\frac{1}{20}$ | 750 원 |

**23** □개의 70%가 280개

| 기준량 | 비율 | 비교하는 양 |
|---|---|---|
| 400개 | 0.7 또는 $\frac{7}{10}$ | 280 개 |

**24** □원의 11% 적립금이 363원

| 기준량 | 비율 | 비교하는 양 |
|---|---|---|
| 3300원 | 0.11 또는 $\frac{11}{100}$ | 363 원 |

---

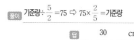 서술형 풀어보기

구조화 해서 풀어보아요

**25** 빵 가게 할인 이벤트를 해서 빵을 4800원어치 샀는데 1200원을 할인해 주었습니다. 이 빵 가게에서 15000원어치의 빵을 사면 얼마를 할인받을 수 있을까요?

풀이과정

(1) 이 빵 가게의 할인율을 구해 보세요.

(할인율)%= $\frac{1200}{4800}$ × 100 = 25 %

| 기준량 | 비율 | 비교하는 양 |
|---|---|---|
| 15000원 | 0.25 또는 $\frac{1}{4}$ | 3750원 |

(2) 15000원어치의 빵을 샀을 때 할인받는 가격은 3750 원입니다.

[26~29] 풀이과정을 쓰고 답을 구하세요.

**26** 피자와 치킨을 함께 주문하면 총 주문금액의 30%를 할인해준다고 합니다. 총 주문금액이 48000원일 때, 내야 할 돈은 얼마입니까?

풀이 할인받는 금액은 48000×0.3=14400원이므로 내야 할 돈은 48000-14400=33600

답 33600 원

**27** 직사각형을 250% 확대했더니 가로의 길이가 75 cm가 되었습니다. 직사각형의 처음 가로의 길이는 몇 cm일까요?

풀이 기준량× $\frac{5}{2}$ =75 ⇨ 75× $\frac{2}{5}$ =기준량

답 30 cm

**28** 마트에서 물건을 샀더니 800원을 적립해주었습니다. 산 금액의 5 %를 적립해 준다고 할 때, 물건을 산 금액은 얼마일까요?

풀이 기준량× $\frac{1}{20}$ =800 ⇨ 800×20=기준량

답 16000 원

**29** 은행 월 이자율이 2 %라고 합니다. 10만원의 돈을 예금했을 때, 8개월 후에 예금한 돈과 이자의 합을 구하세요.

풀이 1개월 후의 이자=100000×0.02=2000 (원)
8개월 후의 이자=2000×8=16000 (원)
100000+16000=116000

답 116000 원

연마 Check

직접이나 노력할 것을 써 주세요.

| 맞힌 개수 | 지도 의견 | |
|---|---|---|
| 개 | 나의 생각 | 확인란 |

# 27 일차 속력 구하기

월 일

- (속력)= $\frac{(거리)}{(시간)}$ =(거리)÷(시간)

| 시속 | 분속 | 초속 |
|---|---|---|
| 1시간 동안에 가는 평균 거리 | 1분 동안에 가는 평균 거리 | 1초 동안에 가는 평균 거리 |

시속 120 km는 1시간 동안에 평균 120 km를 이동하는 것 → 120 km/시

분속 40 m는 1분 동안에 평균 40 m를 이동하는 것 → 40 m/분

초속 8 m는 1초 동안에 평균 8 m를 이동하는 것 → 8 m/초

### 핵심포인트
- (거리)=(속력)×(시간)
- (시간)= $\frac{(거리)}{(속력)}$ =(거리)÷(속력)
- 자동차로 400 km를 가는데 5시간이 걸렸을 때, 이 자동차의 속력을 구하면 (속력)=(거리)÷(시간) 즉, 400÷5 이므로 80km/시입니다.

**[01~09] 속력을 구하세요.**

**01** 걸린 시간 : 2시간
이동 거리 : 300km
→ **150** km/시

**04** 걸린 시간 : 25분
이동 거리: 500m
→ **20** m/분

**07** 걸린 시간 : 10초
이동 거리: 80m
→ **8** m/초

**02** 걸린 시간 : 6시간
이동 거리: 300km
→ **50** km/시

**05** 걸린 시간 :50분
이동 거리: 500m
→ **10** m/분

**08** 걸린 시간 : 20초
이동 거리: 80m
→ **4** m/초

**03** 걸린 시간 : 10시간
이동 거리: 300km
→ **30** km/시

**06** 걸린 시간 : 4분
이동 거리: 500m
→ **125** m/분

**09** 걸린 시간 : 40초
이동 거리: 80m
→ **2** m/초

116 4. 비와 비율

---

### 계산력 강화하기
정확하게 풀어보아요

**[10~21] 빈칸을 채우세요.**

**10** 걸린 시간 : 2시간
속력 : 130km/시
이동 거리 : **260** km
130×2=260

**14** 걸린 시간 : 80분
속력 : 40m/분
이동 거리 : **3200** m
40×80=3200

**18** 속력 : 10m/분
이동 거리 : 800 m
걸린 시간 : **80** 분
800÷10=80

**11** 걸린 시간 : 4시간
속력 : 130km/시
이동 거리 : **520** km
130×4=520

**15** 걸린 시간 : 9분
속력 : 40m/분
이동 거리 : **360** m
40×9=360

**19** 속력 : 40m/분
이동 거리 : 800 m
걸린 시간 : **20** 분
800÷40=20

**12** 걸린 시간 : 6시간
속력 : 130km/시
이동 거리 : **780** km
130×6=780

**16** 걸린 시간 : 15분
속력 : 40m/분
이동 거리 : **600** m
40×15=600

**20** 속력 : 16m/분
이동 거리 : 800 m
걸린 시간 : **50** 분
800÷16=50

**13** 걸린 시간 : 30분
속력 : 130km/시
이동 거리 : **65** km
130× $\frac{1}{2}$ =65

**17** 걸린 시간 : 30분
속력 : 40m/분
이동 거리 : **1200** m
40×30=1200

**21** 속력 : 20m/분
이동 거리 : 800 m
걸린 시간 : **40** 분
800÷20=40

**[22~23] 빈칸을 채우세요.**

**22** 시속 300km인 기차의 4시간 이동한 거리
→ 300× **4** = **1200** km

**23** 시속 300km의 분속
→ 300÷ **60** = **5** km/분

---

### 구조화하기
구조화 하기를 연습하면 서술형도 쉽게 풀어요

**[24~33] 빈칸을 채우세요.**

**24**
| 걸린 시간 | 속력 | 이동 거리 |
|---|---|---|
| 3시간 | 140 km/시 | 420 km |

$\frac{420}{3}=140$

**29**
| 걸린 시간 | 속력 | 이동 거리 |
|---|---|---|
| 1시간 | 10 km/시 | 10 km |

$\frac{10}{1}=10$

**25**
| 걸린 시간 | 속력 | 이동 거리 |
|---|---|---|
| 9시간 | 50 km/시 | 450 km |

$9×50=450$

**30**
| 걸린 시간 | 속력 | 이동 거리 |
|---|---|---|
| 4시간 | 170 km/시 | 680 km |

$4×170=680$

**26**
| 걸린 시간 | 속력 | 이동 거리 |
|---|---|---|
| 30분 | 40 km/시 | 20 km |

$20÷\frac{1}{2}=20×2=40$

**31**
| 걸린 시간 | 속력 | 이동 거리 |
|---|---|---|
| 1시간 30분 | 80 km/시 | 120 km |

$1\frac{1}{2}×80=\frac{3}{2}×80=120$

**27**
| 걸린 시간 | 속력 | 이동 거리 |
|---|---|---|
| 20분 | 6 m/분 | 120 m |

$\frac{120}{20}=6$

**32**
| 걸린 시간 | 속력 | 이동 거리 |
|---|---|---|
| 9분 | 90 m/분 | 810 m |

$\frac{810}{9}=90$

**28**
| 걸린 시간 | 속력 | 이동 거리 |
|---|---|---|
| 40초 | 22 m/초 | 880 m |

$\frac{880}{40}=22$

**33**
| 걸린 시간 | 속력 | 이동 거리 |
|---|---|---|
| 3시간 | 120 km/시 | 360 km |

$\frac{360}{120}=3$

118 4. 비와 비율

---

### 서술형 풀어보기
구조화 해서 풀어보아요

**34** 기차를 타고 강릉역까지 가는데 1시간 30분이 걸렸습니다. 기차가 시속 320 km일 때 이동 거리를 구해 보세요.

**풀이과정**

(1) (거리) = 시간 × 속력

(2) 1시간 30분을 시간으로 나타내면 $1\frac{1}{2}$ 또는 $\frac{3}{2}$

(3) $\frac{3}{2}$ × 320 = **480** km

| 걸린 시간 | 속력 | 이동 거리 |
|---|---|---|
| 1시간 30분 | 320km/시 | 480 km |

**[35~38] 풀이과정을 쓰고 답을 반올림하여 소수 두 번째 자리까지 구하세요.**

**35** 어느 장난감 기차는 2분에 14 m를 이동한다고 합니다. 이 장난감 기차의 분속을 구하고, 8분 움직였을 때의 이동 거리를 구하세요.

풀이 14÷2=7m/분 7×8=56m

답 7m/분 56m

**37** 75분에 200 km를 이동하는 자동차가 있습니다. 이 자동차의 시속을 구하고, 4시간 동안 움직인 이동 거리를 구하세요.

풀이 (속력)=200÷ $\frac{5}{4}$ 이므로 160km/시
160×4=640km

답 160km/시 640km

**36** 영상 15 ℃, 100000 Pa 기준의 일상생활에서의 소리의 속력은 340 m/초 일 때 6.8 km 떨어진 곳에서 난 소리는 몇 초 후에 들릴까요?

풀이 (시간)=6800÷340=20초

답 20 초

**38** 북극 토끼는 시속 60 km를 이동할 수 있고, 장수 거북이는 시속 10 km를 이동할 수 있다고 합니다. 이 두 마리의 동물이 120 km를 이동한다고 할 때 걸리는 시간을 각각 구해보세요.

풀이 120÷60=2 120÷10=12

답 토끼: 2시간 거북이: 12시간

### 엄마 Check
칭찬이나 노력할 것을 써 주세요.

| 맞힌 개수 | 지도 의견 | | 확인란 |
|---|---|---|---|
| 개 | 나의 생각 | | |

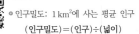 

- 인구밀도: 1 km²에 사는 평균 인구
  (인구밀도)=(인구)÷(넓이)

  → 넓이가 250 km²이고, 인구가 75000명인 지역의 인구밀도는 75000÷250=500이므로 이 지역의 인구밀도는 500 명/km² 입니다.

- 용액의 진하기: 용액의 양에 대한 용질의 양의 비율
  (용액의 진하기)%= (용질의 양) ÷ (용액의 양)×100

  → 소금물 200 g에 소금이 40 g 녹아있을 때 소금물의 진하기는 (소금물 → 용액, 소금 양 → 용질) 40÷200=0.2, %로 나타내면 0.2×100, 그러므로 소금물의 진하기는 20%입니다.

**[01~06] 인구밀도를 구하세요.**

**01** 인구: 8000명
마을의 넓이: 500 km²

| 인구밀도 | 16 | 명/km² |

8000÷500=16

**02** 인구: 4000명
마을의 넓이: 500 km²

| 인구밀도 | 8 | 명/km² |

4000÷500=8

**03** 인구: 3000000명
마을의 넓이: 1500 km²

| 인구밀도 | 2000 | 명/km² |

3000000÷1500=2000

**04** 인구: 75000명
마을의 넓이: 5 km²

| 인구밀도 | 15000 | 명/km² |

75000÷5=15000

**05** 인구: 3528000명
마을의 넓이: 420 km²

| 인구밀도 | 8400 | 명/km² |

3528000÷420=8400

**06** 인구: 4500명
마을의 넓이: 25 km²

| 인구밀도 | 180 | 명/km² |

4500÷25=180

---

**계산력 강화하기**　정확하게 풀어보아요

**[07~16] 용액의 진하기를 구하세요.**

**07** 소금물의 양: 100 g
소금의 양: 20 g

| 용액의 진하기 | 20 | % |

$\frac{20}{100} \times 100 = 20$

**08** 소금물의 양: 360 g
소금의 양: 90 g

| 용액의 진하기 | 25 | % |

$\frac{90}{360} \times 100 = 25$

**09** 소금물의 양: 500 g
소금의 양: 40 g

| 용액의 진하기 | 8 | % |

$\frac{40}{500} \times 100 = 8$

**10** 소금물의 양: 400 g
소금의 양: 80 g

| 용액의 진하기 | 20 | % |

$\frac{80}{400} \times 100 = 20$

**11** 소금물의 양: 1000 g
소금의 양: 350 g

| 용액의 진하기 | 35 | % |

$\frac{350}{1000} \times 100 = 35$

**12** 설탕물의 양: 200 g
설탕의 양: 26 g

| 용액의 진하기 | 13 | % |

$\frac{26}{200} \times 100 = 13$

**13** 설탕물의 양: 700 g
설탕의 양: 462 g

| 용액의 진하기 | 66 | % |

$\frac{462}{700} \times 100 = 66$

**14** 설탕물의 양: 900 g
설탕의 양: 513 g

| 용액의 진하기 | 57 | % |

$\frac{513}{900} \times 100 = 57$

**15** 설탕물의 양: 600 g
설탕의 양: 264 g

| 용액의 진하기 | 44 | % |

$\frac{264}{600} \times 100 = 44$

**16** 설탕물의 양: 500 g
설탕의 양: 185 g

| 용액의 진하기 | 37 | % |

$\frac{185}{500} \times 100 = 37$

---

　**구조화하기**　사고력 확장　구조화 하기를 연습하면 서술형도 쉽게 풀어요

**[17~26] 단위를 표시하여 빈칸을 채우세요.**

**17**

| 인구 | 넓이 | 인구밀도 |
|---|---|---|
| 9000명 | 200 km² | 45 명/km² |

9000÷200=45

**18**

| 인구 | 넓이 | 인구밀도 |
|---|---|---|
| 70000명 | 28000 km² | 2.5 명/km² |

70000÷28000=2.5

**19**

| 인구 | 넓이 | 인구밀도 |
|---|---|---|
| 16000명 | 160 km² | 100 명/km² |

인구÷160=100, 인구=160×100=16000

**20**

| 소금 | 물 | 소금물 | 용액의 진하기(%) |
|---|---|---|---|
| 50 g | 150 g | 200 g | 25% |

50÷200=0.25, 0.25×100=25

**21**

| 소금 | 물 | 소금물 | 용액의 진하기(%) |
|---|---|---|---|
| 5 g | 245 g | 250 g | 2 % |

5÷250=0.02, 0.02×100=2

**22**

| 인구 | 넓이 | 인구밀도 |
|---|---|---|
| 10000명 | 50 km² | 200 명/km² |

10000÷50=200

**23**

| 인구 | 넓이 | 인구밀도 |
|---|---|---|
| 150 명 | 15 km² | 10 명/km² |

인구÷15=10, 인구=15×10=150

**24**

| 인구 | 넓이 | 인구밀도 |
|---|---|---|
| 30000명 | 500 km² | 60 명/km² |

30000÷넓이=60, 넓이=30000÷60=500

**25**

| 소금 | 물 | 소금물 | 용액의 진하기(%) |
|---|---|---|---|
| 80 g | 120 g | 200 g | 40 % |

80÷200=0.4, 0.4×100=40

**26**

| 소금 | 물 | 소금물 | 용액의 진하기(%) |
|---|---|---|---|
| 33 g | 77 g | 110 g | 30 % |

33÷110=0.3, 0.3×100=30

---

**서술형 풀어보기**　사고력 확장　구조화 해서 풀어보아요

**27** 다음 표는 민아네 마을과 수아네 마을의 1 km²에 사는 평균 인구에 관한 표입니다. 누구네 마을의 인구밀도가 더 높나요?

| 마을 | 인구 | 넓이 |
|---|---|---|
| 민아네 마을 | 110000명 | 100 km² |
| 수아네 마을 | 200000명 | 250 km² |

**풀이과정**

(1) 민아네 마을 인구 밀도 = 110000 ÷ 100 = 1100 명/km²

(2) 수아네 마을 인구 밀도 = 200000 ÷ 250 = 800 명/km²

(3) 민아 네 마을 인구 밀도가 더 높습니다.

**[28~30] 풀이과정을 쓰고 답을 구하세요.**

**28** 다음 표는 도희네 마을과 민재네 마을의 인구밀도에 관한 표입니다. 누구네 마을 인구가 더 많을까요?

| 마을 | 넓이 | 인구 밀도 |
|---|---|---|
| 도희네 마을 | 400 km² | 80 명/km² |
| 민재네 마을 | 1000 km² | 25 명/km² |

풀이 　도희네 마을=80×400=32000 명
민재네 마을=1000×25=25000 명

답 　도희네 마을

**29** 소금물 400 g에 소금이 40 g 녹아있다고 할 때, 소금물의 진하기는 몇 %일까요?

풀이 　40÷400=0.1, 0.1×100=10

답 　10 　%

**30** 설탕 50 g에 물 200 g을 넣고 잘 저어 설탕물을 만들었습니다.

(1) 이 설탕물의 진하기는 몇 %일까요?

풀이 　50÷(200+50)=0.2, 0.2×100=20

답 　20

(2) 위에서 만든 설탕물에 설탕을 70 g 더 넣어 잘 저어주었습니다. 이 용액의 진하기는 몇 %일까요?

풀이 　(50+70)÷(250+70)=120÷320 =0.375, 0.375×100=37.5

답 　37.5 　%

# 29
## 일차 | 띠그래프

월 일

• 전체에 대한 각 부분의 비율을 띠 모양으로 나타낸 그래프를 띠그래프라고 합니다.

**핵심 포인트**
• 띠그래프는 비율이 높은 항목부터 차례로 구분하여 띠 모양으로 나타내는 것이 일반적이지만 순서가 있는 항목(계절 등)은 순서대로 나타낼 수 있습니다.

| | 띠그래프 | 막대그래프 |
|---|---|---|
| | 전체에 대한 각 부분의 비율 | 여러 항목의 수량 비교 |

**좋아하는 분식**

0 10 20 30 40 50 60 70 80 90 100(%)

| 떡볶이 (40%) | 김밥 (25%) | 만두 (20%) | 튀김 (15%) |
|---|---|---|---|

→ 띠그래프 전체는 100%를 나타냅니다.
→ 띠그래프에서는 각 항목이 차지하는 비율만큼 칸을 나누어 나타냅니다.

(01~04) 학생 **40명**을 대상으로 여러 사항을 조사한 띠그래프입니다. 빈칸을 채우세요.

**01** 가고 싶은 산

0 10 20 30 40 50 60 70 80 90 100(%)

| 한라산 (35%) | 지리산 (30%) | 설악산 | 기타 (10%) |
|---|---|---|---|

(1) 가장 많은 학생이 가고 싶어 하는 산은 **한라산** 입니다.

(2) 설악산에 가고 싶은 학생의 비율은 **25** %입니다.

**02** 가고 싶은 국내 여행지

0 10 20 30 40 50 60 70 80 90 100(%)

| 제주도 (50%) | 대관령 | 기타 (15%) | 경포대 (10%) |
|---|---|---|---|

(1) 가장 많은 학생이 가고 싶은 장소는 **제주도** 입니다.

(2) 대관령에 가고 싶은 학생의 비율은 **25** %입니다.

**03** 좋아하는 음악 장르

0 10 20 30 40 50 60 70 80 90 100(%)

| 가요 | 팝송 (35%) | 클래식 | 기타 |
|---|---|---|---|

(1) 가장 많은 학생이 좋아하는 음악 장르는 **가요** 입니다.

(2) 가요를 좋아하는 학생은 **16** 명입니다.

**04** 혈액형

0 10 20 30 40 50 60 70 80 90 100(%)

| A형 (30%) | B형 (25%) | O형 (25%) | AB형 (20%) |
|---|---|---|---|

(1) 가장 많은 혈액형은 **A** 형입니다.

(2) 혈액형 AB형은 **8** 명입니다.

$40 \times 0.2 = 8$

---

(05~12) 표를 보고 띠 그래프를 그려보세요.

**05**

마을주민 성씨

| 성씨 | 김씨 | 이씨 | 박씨 | 기타 | 합계 |
|---|---|---|---|---|---|
| 백분율(%) | 45 | 25 | 20 | 10 | 100 |

마을주민 성씨

0 10 20 30 40 50 60 70 80 90 100(%)

| 김씨 (45%) | 이씨 (25%) | 박씨 (20%) | 기타 (10%) |
|---|---|---|---|

**06**

좋아하는 음료수

| 음료수 | 탄산음료 | 주스 | 우유 | 기타 | 합계 |
|---|---|---|---|---|---|
| 백분율(%) | 35 | 30 | 25 | 10 | 100 |

좋아하는 음료수

0 10 20 30 40 50 60 70 80 90 100(%)

| 탄산음료 (35%) | 주스 (30%) | 우유 (25%) | 기타 (10%) |
|---|---|---|---|

**07**

좋아하는 생선

| 생선 | 갈치 | 고등어 | 삼치 | 조기 | 합계 |
|---|---|---|---|---|---|
| 백분율(%) | 35 | 25 | 20 | 20 | 100 |

좋아하는 생선

0 10 20 30 40 50 60 70 80 90 100(%)

| 갈치 (35%) | 고등어 (25%) | 삼치 (20%) | 조기 (20%) |
|---|---|---|---|

**08**

좋아하는 과일

| 과일 | 사과 | 포도 | 귤 | 배 | 합계 |
|---|---|---|---|---|---|
| 백분율(%) | 40 | 30 | 25 | 5 | 100 |

좋아하는 과일

0 10 20 30 40 50 60 70 80 90 100(%)

| 사과 (40%) | 포도 (30%) | 귤 (25%) | 배 (5%) |
|---|---|---|---|

**09**

쓰레기의 양

| 쓰레기 | 플라스틱 | 종이 | 고철 | 기타 | 합계 |
|---|---|---|---|---|---|
| 백분율(%) | 40 | 30 | 20 | 10 | 100 |

쓰레기의 양

0 10 20 30 40 50 60 70 80 90 100(%)

| 플라스틱 (40%) | 종이 (30%) | 고철 (20%) | 기타 (10%) |
|---|---|---|---|

**10**

좋아하는 채소

| 채소 | 당근 | 시금치 | 오이 | 기타 | 합계 |
|---|---|---|---|---|---|
| 백분율(%) | 30 | 25 | 25 | 20 | 100 |

좋아하는 채소

0 10 20 30 40 50 60 70 80 90 100(%)

| 당근 (30%) | 시금치 (25%) | 오이 (25%) | 기타 (20%) |
|---|---|---|---|

**11**

태어난 계절

| 계절 | 봄 | 여름 | 가을 | 겨울 | 합계 |
|---|---|---|---|---|---|
| 백분율(%) | 20 | 40 | 15 | 25 | 100 |

태어난 계절

0 10 20 30 40 50 60 70 80 90 100(%)

| 봄 (20%) | 여름 (40%) | 가을 (15%) | 겨울 (25%) |
|---|---|---|---|

**12**

사과 생산량

| 농장 | (가)농장 | (나)농장 | (다)농장 | (라)농장 | 합계 |
|---|---|---|---|---|---|
| 백분율(%) | 35 | 30 | 20 | 15 | 100 |

사과 생산량

0 10 20 30 40 50 60 70 80 90 100(%)

| (가)농장 (35%) | (나)농장 (30%) | (다)농장 (20%) | (라)농장 (15%) |
|---|---|---|---|

---

(13~16) 표를 보고 물음에 답하세요.

**13**

취미활동

| 취미활동 | 운동 | 게임 | 악기연주 | 기타 | 합계 |
|---|---|---|---|---|---|
| 학생 수 | 14 | 12 | 10 | 4 | 40 |

(1) 취미활동별로 백분율을 구하세요.

운동 : **35** %, 게임 : **30** %

악기연주 : **25** %, 기타 : **10** %

(2) 띠그래프를 그리세요.

취미활동

0 10 20 30 40 50 60 70 80 90 100(%)

| 운동 (35%) | 게임 (30%) | 악기 (25%) | 기타 (10%) |
|---|---|---|---|

운동 : $\frac{14}{40} \times 100 = 35$, 게임 : $\frac{12}{40} \times 100 = 30$,

악기 : $\frac{10}{40} \times 100 = 25$, 기타 : $\frac{4}{40} \times 100 = 10$

**14**

기르는 애완동물

| 애완동물 | 강아지 | 고양이 | 햄스터 | 금붕어 | 합계 |
|---|---|---|---|---|---|
| 학생 수 | 48 | 36 | 24 | 12 | 120 |

(1) 기르는 애완동물별로 백분율을 구하세요.

강아지 : **40** %, 고양이 : **30** %

햄스터 : **20** %, 금붕어 : **10** %

(2) 띠그래프를 그리세요.

기르는 애완동물

0 10 20 30 40 50 60 70 80 90 100(%)

| 강아지 (40%) | 고양이 (30%) | 햄스터 (20%) | 금붕어 (10%) |
|---|---|---|---|

강아지 : $\frac{48}{120} \times 100 = 40$, 고양이 : $\frac{36}{120} \times 100 = 30$,

햄스터 : $\frac{24}{120} \times 100 = 20$, 금붕어 : $\frac{12}{120} \times 100 = 10$

**15**

여행 가고 싶은 나라

| 취미활동 | 미국 | 프랑스 | 호주 | 영국 | 합계 |
|---|---|---|---|---|---|
| 학생 수 | 90 | 75 | 72 | 63 | 300 |

(1) 여행 가고 싶은 나라별로 백분율을 구하세요.

미국 : **30** %, 프랑스 : **25** %

호주 : **24** %, 영국 : **21** %

(2) 띠그래프를 그리세요.

여행 가고 싶은 나라

0 10 20 30 40 50 60 70 80 90 100(%)

| 미국 (30%) | 프랑스 (25%) | 호주 (24%) | 영국 (21%) |
|---|---|---|---|

미국 : $\frac{90}{300} \times 100 = 30$, 프랑스 : $\frac{75}{300} \times 100 = 25$,

호주 : $\frac{72}{300} \times 100 = 24$, 영국 : $\frac{63}{300} \times 100 = 21$

**16**

좋아하는 과목

| 취미활동 | 음악 | 수학 | 영어 | 사회 | 합계 |
|---|---|---|---|---|---|
| 학생 수 | 70 | 60 | 40 | 30 | 200 |

(1) 좋아하는 과목별로 백분율을 구하세요.

음악 : **35** %, 수학 : **30** %

영어 : **20** %, 사회 : **15** %

(2) 띠그래프를 그리세요.

좋아하는 과목

0 10 20 30 40 50 60 70 80 90 100(%)

| 음악 (35%) | 수학 (30%) | 영어 (20%) | 사회 (15%) |
|---|---|---|---|

음악 : $\frac{70}{200} \times 100 = 35$, 수학 : $\frac{60}{200} \times 100 = 30$,

영어 : $\frac{40}{200} \times 100 = 20$, 사회 : $\frac{30}{200} \times 100 = 15$

---

**17** 선미네 마을의 200가구를 조사하여 나타낸 띠그래프입니다. (다) 동은 몇 가구일까요?

동별 가구 수

0 10 20 30 40 50 60 70 80 90 100(%)

| (가)동 (35%) | (나)동 (30%) | (다)동 (20%) | (라)동 (15%) |
|---|---|---|---|

**풀이과정**

(1) **200** 가구를 조사한 띠그래프입니다.

(2) (다)동은 전체의 **20** % 입니다.

(3) (다)동의 가구 수는 **200** × $\frac{20}{100}$ = **40** 가구입니다.

(18~19) **50명**의 학생을 대상으로 다음 사항들을 조사하여 나타낸 띠그래프입니다. 물음에 답하세요.

**18** 배우고 싶은 악기

0 10 20 30 40 50 60 70 80 90 100(%)

| 피아노 (50%) | 바이올린 (20%) | 플루트 (14%) | 드럼 (16%) |
|---|---|---|---|

(1) 피아노를 배우고 싶은 학생은 몇 명일까요?

풀이 $\frac{50}{100} \times 50 = 25$

답 **25** 명

(2) 플루트를 배우고 싶은 학생은 몇 명일까요?

풀이 $\frac{14}{100} \times 50 = 7$

답 **7** 명

**19** 특기 적성 활동

0 10 20 30 40 50 60 70 80 90 100(%)

| 컴퓨터 (40%) | 그림 그리기 (30%) | 바둑 (20%) | 서예 (10%) |
|---|---|---|---|

(1) 특기 적성활동으로 컴퓨터를 하는 학생은 몇 명일까요?

풀이 $\frac{40}{100} \times 50 = 20$

답 **20** 명

(2) 특기 적성활동으로 그림 그리기를 하는 학생은 몇 명일까요?

풀이 $\frac{30}{100} \times 50 = 15$

답 **15** 명

**엄마 Check** 칭찬이나 노력할 점을 써 주세요.

| 맞힌 개수 | 지도 의견 | |
|---|---|---|
| 개 | 나의 생각 | 확인란 |

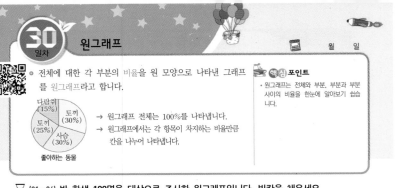

# 30 일차 원그래프

월 일

전체에 대한 각 부분의 비율을 원 모양으로 나타낸 그래프를 원그래프라고 합니다.

**개념 포인트**
• 원그래프는 전체와 부분, 부분과 부분 사이의 비율을 한눈에 알아보기 쉽습니다.

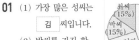
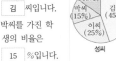

좋아하는 동물

→ 원그래프 전체는 100%를 나타냅니다.
→ 원그래프에서는 각 항목이 차지하는 비율만큼 칸을 나누어 나타냅니다.

**(01~04) 반 학생 100명을 대상으로 조사한 원그래프입니다. 빈칸을 채우세요.**

**01** (1) 가장 많은 성씨는 [김] 씨입니다.

(2) 박씨를 가진 학생의 비율은 [15] %입니다.

성씨

**02** (1) 가장 많은 학생이 좋아하는 채소는 [감자] 입니다.

(2) 고구마를 좋아하는 학생은 [35] 명입니다.

좋아하는 채소

**03** (1) 가장 많은 학생이 좋아하는 과목은 [수학] 입니다.

(2) 사회를 좋아하는 학생의 비율은 [10] %입니다.

좋아하는 과목

**04** (1) 여가활동으로 가장 적은 학생이 선택한 것은 [산책] 입니다.

(2) 여가활동으로 독서를 하는 학생은 [30] 명입니다.

여가활동

128  5. 비율 그래프

---

**(05~10) 표를 보고 원 그래프를 그려보세요.**

**05** 받고 싶은 선물

| 선물 | 장난감 | 책 | 학용품 | 기타 | 합계 |
|---|---|---|---|---|---|
| 백분율(%) | 45 | 30 | 20 | 5 | 100 |

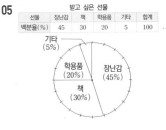

**08** 가보고 싶은 산

| 산 | 한라산 | 지리산 | 태백산 | 기타 | 합계 |
|---|---|---|---|---|---|
| 백분율(%) | 45 | 25 | 20 | 10 | 100 |

**06** 여행하고 싶은 나라

| 나라 | 스위스 | 프랑스 | 캐나다 | 호주 | 합계 |
|---|---|---|---|---|---|
| 백분율(%) | 35 | 30 | 20 | 15 | 100 |

**09** 장래희망

| 장래희망 | 의사 | 선생님 | 공무원 | 기타 | 합계 |
|---|---|---|---|---|---|
| 백분율(%) | 35 | 35 | 15 | 15 | 100 |

**07** 좋아하는 스포츠

| 스포츠 | 축구 | 농구 | 야구 | 기타 | 합계 |
|---|---|---|---|---|---|
| 백분율(%) | 40 | 30 | 15 | 15 | 100 |

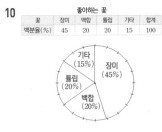

**10** 좋아하는 꽃

| 꽃 | 장미 | 백합 | 튤립 | 기타 | 합계 |
|---|---|---|---|---|---|
| 백분율(%) | 45 | 20 | 20 | 15 | 100 |

원그래프  129

---

**(11~14) 표를 보고 물음에 답하세요.**

**11** 좋아하는 색

| 색상 | 초록 | 파랑 | 노랑 | 기타 | 합계 |
|---|---|---|---|---|---|
| 학생 수 | 20 | 15 | 10 | 5 | 50 |

(1) 색별로 백분율을 구하세요.

초록: [40] %, 파랑: [30] %
노랑: [20] %, 기타: [10] %

(2) 원그래프를 그리세요.

초록: $\frac{20}{50} \times 100 = 40$
파랑: $\frac{15}{50} \times 100 = 30$
노랑: $\frac{10}{50} \times 100 = 20$
기타: $\frac{5}{50} \times 100 = 10$

**12** 좋아하는 전통놀이

| 전통놀이 | 윷놀이 | 연날리기 | 제기차기 | 기타 | 합계 |
|---|---|---|---|---|---|
| 학생 수 | 28 | 12 | 6 | 4 | 50 |

(1) 전통놀이별로 백분율을 구하세요.

윷놀이: [56] %, 연날리기: [24] %
제기차기: [12] %, 기타: [8] %

(2) 원그래프를 그리세요.

놀이: $\frac{28}{50} \times 100 = 56$
날리기: $\frac{12}{50} \times 100 = 24$
기차기: $\frac{6}{50} \times 100 = 12$
기타: $\frac{4}{50} \times 100 = 8$

**13** 좋아하는 한국 음식

| 음식 | 돈가스 | 삼겹살 | 비빔밥 | 기타 | 합계 |
|---|---|---|---|---|---|
| 학생 수 | 25 | 47 | 18 | 10 | 100 |

(1) 음식별로 백분율을 구하세요.

돈가스: [25] %, 삼겹살: [47] %
비빔밥: [18] %, 기타: [10] %

(2) 원그래프를 그리세요.

돈가스: $\frac{25}{100} \times 100 = 25$
삼겹살: $\frac{47}{100} \times 100 = 47$
비빔밥: $\frac{18}{100} \times 100 = 18$
기타: $\frac{10}{100} \times 100 = 10$

**14** 좋아하는 김밥 종류

| 김밥 종류 | 참치 김밥 | 치즈 김밥 | 멸치 김밥 | 기타 | 합계 |
|---|---|---|---|---|---|
| 학생 수 | 23 | 15 | 7 | 5 | 50 |

(1) 김밥 종류별로 백분율을 구하세요.

참치: [46] %, 치즈: [30] %
멸치: [14] %, 기타: [10] %

(2) 원그래프를 그리세요.

참치: $\frac{23}{50} \times 100 = 46$
치즈: $\frac{15}{50} \times 100 = 30$
멸치: $\frac{7}{50} \times 100 = 14$
기타: $\frac{5}{50} \times 100 = 10$

130  5. 비율 그래프

---

**15** 학교 학생 400명을 대상으로 좋아하는 간식을 조사하여 나타낸 원그래프입니다. 김밥을 좋아하는 학생 수는 몇 명일까요?

간식

**풀이과정**

(1) [400] 명의 학생을 조사한 원그래프입니다.

(2) 전체의 [25] %의 학생이 김밥을 좋아합니다.

(3) 김밥을 좋아하는 학생 수는 $400 \times \frac{25}{100} = 100$ 명입니다.

**(16~17) 현우네 반 학생 40명에게 아래 사항들을 조사하여 나타낸 원그래프입니다. 물음에 답하세요.**

**16** (1) 소설책을 좋아하는 학생은 몇 명일까요?

좋아하는 책

풀이 $\frac{25}{100} \times 40 = 10$

답 [10] 명

(2) 위인전을 좋아하는 학생은 몇 명일까요?

풀이 $\frac{15}{100} \times 40 = 6$

답 [6] 명

**17** (1) 봄에 태어난 학생은 몇 명일까요?

태어난 계절

풀이 $\frac{20}{100} \times 40 = 8$

답 [8] 명

(2) 여름에 태어난 학생은 몇 명일까요?

풀이 $\frac{45}{100} \times 40 = 18$

답 [18] 명

**연마 Check** 칭찬이나 노력할 점을 써 주세요.

| 맞힌 개수 | 지도 의견 | 확인란 |
|---|---|---|
| 개 | 나의 생각 | |

원그래프  131

# 직육면체와 정육면체의 겉넓이

월 일

**◦ 직육면체의 겉넓이**

5cm
8cm
3cm

→ (옆면 넓이의 합) = {(8×5)+(3×5)}×2=110
→ (윗면과 아랫면 넓이의 합) = (8×3)×2=48
→ (직육면체의 겉넓이)=110+48=158 cm²

**◦ 정육면체의 겉넓이**

5cm
5cm
5cm

→ (정육면체의 겉넓이)
= (5×5)×6=150 cm²

**핵심 포인트**

- (직육면체의 겉넓이)=(각 면의 넓이의 합) =(합동인 세 면의 넓이의 합)×2
- (정육면체의 겉넓이)=(각 면의 넓이의 합)=(한 면의 넓이)×6

**[01~02] 빈칸에 알맞은 수를 써넣어 직육면체의 겉넓이를 구하세요.**

**01**

4cm
2cm
2cm

① (옆면 넓이의 합)
= {(2×4)+(2×4)}×2= 32
② (윗면과 아랫면 넓이의 합)
= (2× 2 )×2= 8
→ (직육면체의 겉넓이)
= 32 + 8 = 40 cm²

**02**

5cm
4cm
7cm

① (옆면 넓이의 합)
= {(7× 5 )+(4× 5 )}×2= 110
② (윗면과 아랫면 넓이의 합)
= (7× 4 )×2= 56
→ (직육면체의 겉넓이)
= 110 + 56 = 166 cm²

**[03~05] 빈칸에 알맞은 수를 써넣어 정육면체의 겉넓이를 구하세요.**

**03**

3cm
3cm
3cm

→ (정육면체의 겉넓이)
= ( 3 × 3 )×6= 54 cm²

**04**

6cm
6cm
6cm

→ (정육면체의 겉넓이)
= ( 6 × 6 )× 6 = 216 cm²

**05**

2cm
2cm
2cm

→ (정육면체의 겉넓이)
= ( 2 × 2 )× 6 = 24 cm²

---

## 도형 이해하기

정확하게 풀어보아요

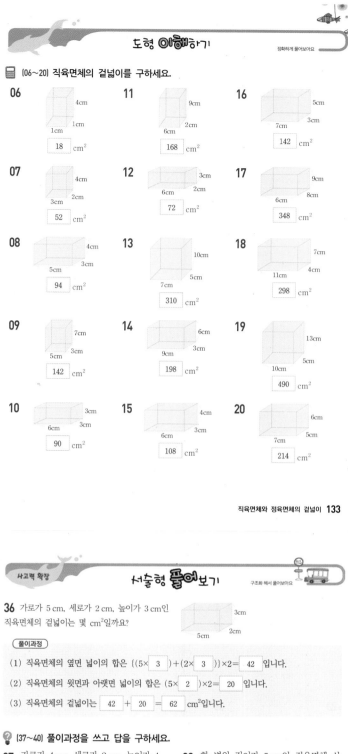

**[06~20] 직육면체의 겉넓이를 구하세요.**

**06**
4cm
1cm
1cm
18 cm²

**07**
4cm
3cm
52 cm²

**08**
4cm
5cm
94 cm²

**09**
7cm
5cm
142 cm²

**10**
3cm
6cm
90 cm²

**11**
9cm
6cm
2cm
168 cm²

**12**
3cm
2cm
6cm
72 cm²

**13**
10cm
7cm
310 cm²

**14**
6cm
3cm
9cm
198 cm²

**15**
6cm
3cm
108 cm²

**16**
5cm
3cm
7cm
142 cm²

**17**
9cm
8cm
6cm
348 cm²

**18**
7cm
4cm
11cm
298 cm²

**19**
13cm
5cm
10cm
490 cm²

**20**
6cm
5cm
7cm
214 cm²

---

## 도형 이해하기

정확하게 풀어보아요

**[21~29] 정육면체의 겉넓이를 구하세요.**

**21**
4cm
4cm
4cm
96 cm²

**22**
8cm
8cm
384 cm²

**23**
3cm
3cm
54 cm²

**24**
6cm
6cm
6cm
216 cm²

**25**
12cm
12cm
12cm
864 cm²

**26**
7cm
7cm
294 cm²

**27**
10cm
10cm
10cm
600 cm²

**28**
2cm
2cm
24 cm²

**29**
15cm
15cm
15cm
1350 cm²

**[30~35] 정육면체의 한 변의 길이를 구하세요.**

**30**
7 cm
겉넓이: 294 cm²

**31**
4 cm
겉넓이: 96 cm²

**32**
9 cm
겉넓이: 486 cm²

**33**
13 cm
겉넓이: 1014 cm²

**34**
5 cm
겉넓이: 150 cm²

**35**
$\frac{1}{2}$ cm
겉넓이: $\frac{3}{2}$ cm²

---

## 사고력 확장 서술형 풀어보기

구조화 해서 풀어보아요

**36** 가로가 5 cm, 세로가 2 cm, 높이가 3 cm인 직육면체의 겉넓이는 몇 cm²일까요?

3cm
5cm
2cm

**풀이과정**

(1) 직육면체의 옆면 넓이의 합은 {(5× 3 )+(2× 3 )}×2= 42 입니다.

(2) 직육면체의 윗면과 아랫면 넓이의 합은 (5× 2 )×2= 20 입니다.

(3) 직육면체의 겉넓이는 42 + 20 = 62 cm²입니다.

**[37~40] 풀이과정을 쓰고 답을 구하세요.**

**37** 가로가 4 cm, 세로가 2 cm, 높이가 4 cm인 직육면체 상자의 겉넓이는 몇 cm²일까요?

풀이  옆넓이: 48, 밑넓이: 16, 겉넓이: 64

답  64 cm²

**38** 가로가 7 cm, 세로가 3 cm, 높이가 3 cm인 직육면체 상자의 겉넓이는 몇 cm²일까요?

풀이  옆넓이: 60, 밑넓이: 42, 겉넓이: 102

답  102 cm²

**39** 한 변의 길이가 5 cm인 정육면체 상자의 겉넓이는 몇 cm²일까요?

풀이  (5×5)×6

답  150 cm²

**40** 한 면의 둘레가 32 cm인 정육면체의 겉넓이는 몇 cm²일까요?

풀이  32÷4=8, (8×8)×6=384

답  384 cm²

**엄마 Check** 칭찬이나 노력할 점을 써 주세요.

| 맞힌 개수 | 지도 의견 | | |
|---|---|---|---|
| 개 | 나의 생각 | | 확인란 |

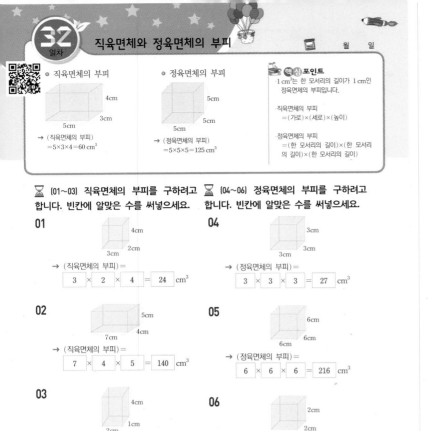

· 직육면체의 부피

· 정육면체의 부피

**핵심포인트**
· 1 cm³는 한 모서리의 길이가 1 cm인 정육면체의 부피입니다.

직육면체의 부피
=(가로)×(세로)×(높이)

정육면체의 부피
=(한 모서리의 길이)×(한 모서리의 길이)×(한 모서리의 길이)

→ (직육면체의 부피)
=5×3×4=60 cm³

→ (정육면체의 부피)
=5×5×5=125 cm³

[01~03] 직육면체의 부피를 구하려고 합니다. 빈칸에 알맞은 수를 써넣으세요.

[04~06] 정육면체의 부피를 구하려고 합니다. 빈칸에 알맞은 수를 써넣으세요.

**01**
→ (직육면체의 부피) =
[3] × [2] × [4] = [24] cm³

**04**
→ (정육면체의 부피) =
[3] × [3] × [3] = [27] cm³

**02**
→ (직육면체의 부피) =
[7] × [4] × [5] = [140] cm³

**05**
→ (정육면체의 부피) =
[6] × [6] × [6] [216] cm³

**03**
→ (직육면체의 부피) =
[2] × [1] × [4] = [8] cm³

**06**
→ (정육면체의 부피) =
[2] × [2] × [2] = [8] cm³

---

도형 이해하기

정확하게 풀어보아요

[07~15] 직육면체의 부피를 구하세요.

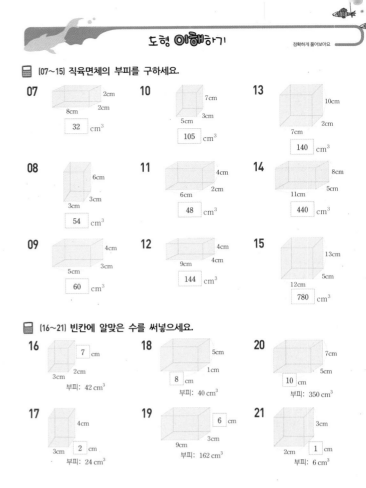

**07**  [32] cm³

**10**  [105] cm³

**13**  [140] cm³

**08**  [54] cm³

**11**  [48] cm³

**14**  [440] cm³

**09**  [60] cm³

**12**  [144] cm³

**15**  [780] cm³

[16~21] 빈칸에 알맞은 수를 써넣으세요.

**16**  [7] cm    부피: 42 cm³

**18**  [8]    부피: 40 cm³

**20**  [10]    부피: 350 cm³

**17**  [2] cm    부피: 24 cm³

**19**  [6]    부피: 162 cm³

**21**  [1] cm    부피: 6 cm³

---

도형 이해하기

정확하게 풀어보아요

[22~36] 정육면체의 부피를 구하세요.

**22**  [512] cm³

**27**  [8] cm³

**32**  넓이: 36cm²    [216] cm³

**23**  [64] cm³

**28**  [125] cm³

**33**  넓이: 144cm²    [1728] cm³

**24**  [1000] cm³

**29**  [729] cm³

**34**  넓이: 81cm²    [729] cm³

**25**  [216] cm³

**30**  넓이: 4cm²    [8] cm³

**35**  넓이: 121cm²    [1331] cm³

**26**  [343] cm³

**31**  넓이: 25cm²    [125] cm³

**36**  넓이: 169cm²    [2197] cm³

---

사고력 확장

서술형 풀어보기

구조화 해서 풀어보아요

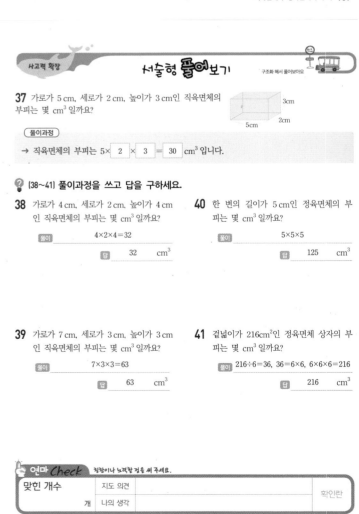

**37** 가로가 5 cm, 세로가 2 cm, 높이가 3 cm인 직육면체의 부피는 몇 cm³ 일까요?

**풀이과정**
→ 직육면체의 부피는 5× [2] × [3] = [30] cm³ 입니다.

[38~41] 풀이과정을 쓰고 답을 구하세요.

**38** 가로가 4 cm, 세로가 2 cm, 높이가 4 cm인 직육면체의 부피는 몇 cm³ 일까요?
풀이    4×2×4=32
답    [32] cm³

**40** 한 변의 길이가 5 cm인 정육면체의 부피는 몇 cm³ 일까요?
풀이    5×5×5
답    [125] cm³

**39** 가로가 7 cm, 세로가 3 cm, 높이가 3 cm인 직육면체의 부피는 몇 cm³ 일까요?
풀이    7×3×3=63
답    [63] cm³

**41** 겉넓이가 216cm²인 정육면체 상자의 부피는 몇 cm³ 일까요?
풀이    216÷6=36, 36=6×6, 6×6×6=216
답    [216] cm³

**연마 Check**  칭찬이나 노력할 점을 써 주세요.

| 맞힌 개수 | 지도 의견 | |
|---|---|---|
| 개 | 나의 생각 | 확인란 |

# 연산마스터

계산력 강화

초등 6·1

11권

총평